ゴオッ

下駄・雪駄の
いづみ屋
のんだくれ

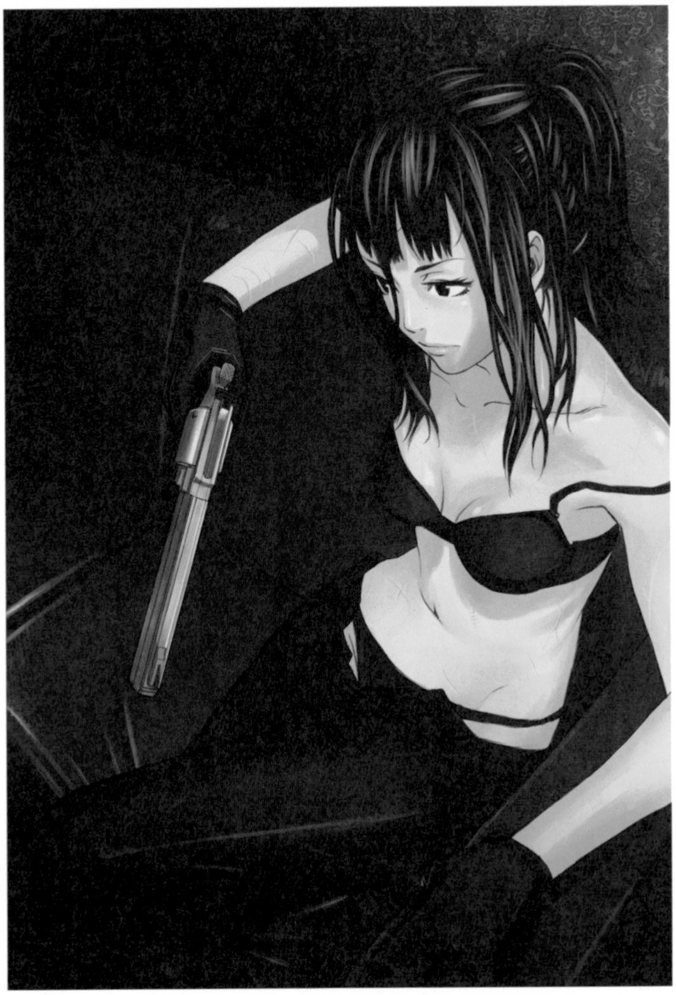

SAMPLE

生気ハツラツ!!
ピロナミンK
5Mマデ

ひなたの狼
パイドパイパー

東京赤ずきん

LEGU
南天堂
YAMAHA
毒
H
TvTB
M
WELCOME

毒

ゴゴゴゴゴゴ

DELETER
For Windows
COMICWORKS Ver 2

DELETER.
COMICWORKS Ver2.0 MAX
For Windows

SPEED GRAPHER

IPPON GINKO
10000
10000YEN

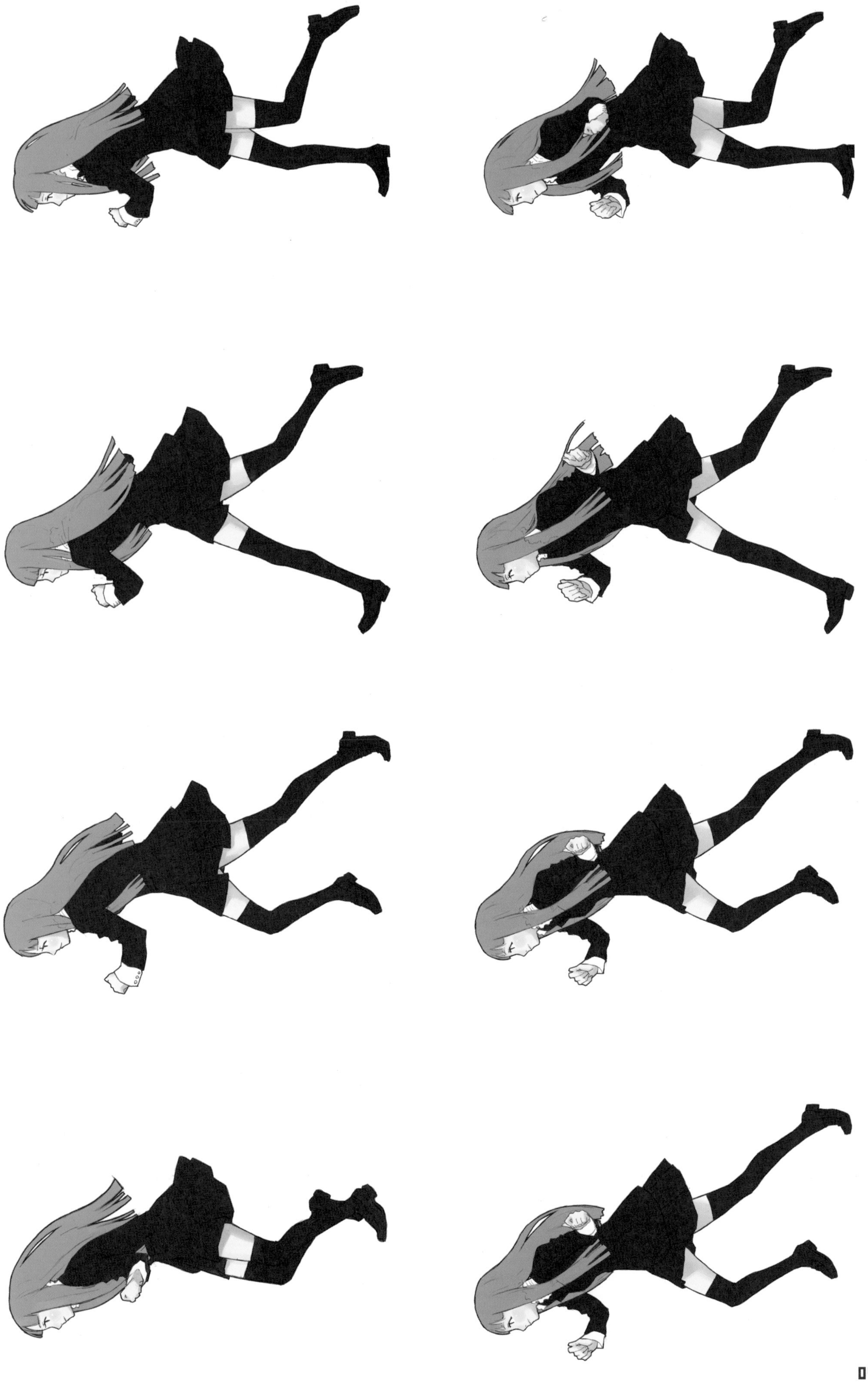

コンテ2

コンテ5

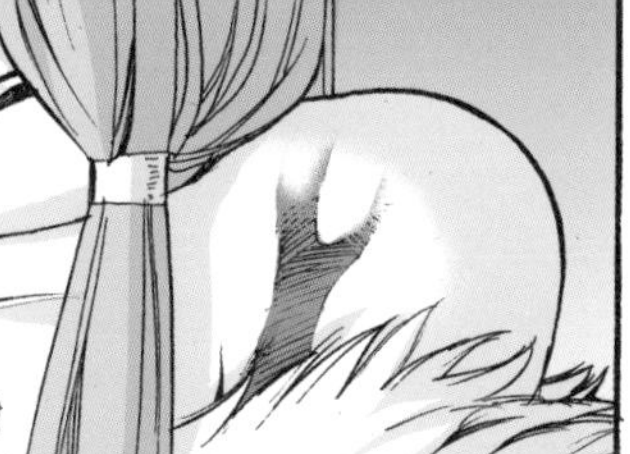

コンテ4

コンテ5

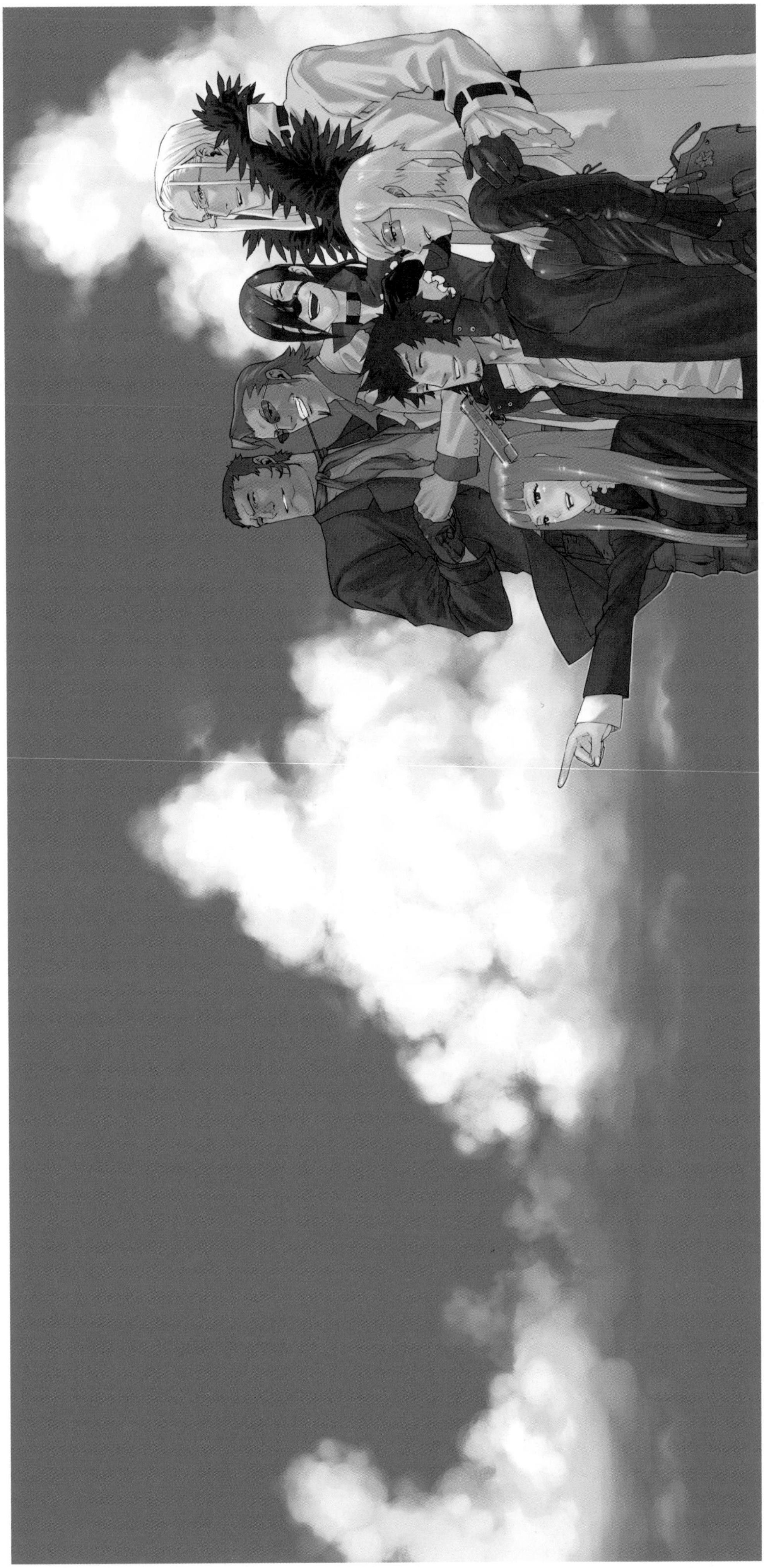

THE DIGITAL ANTHEM

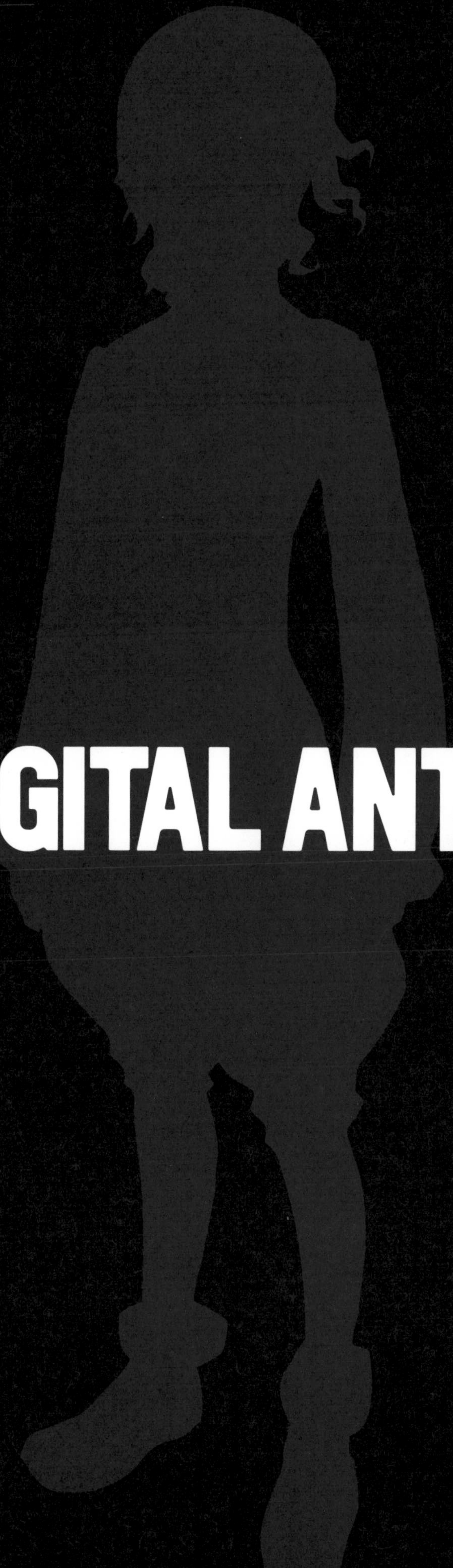

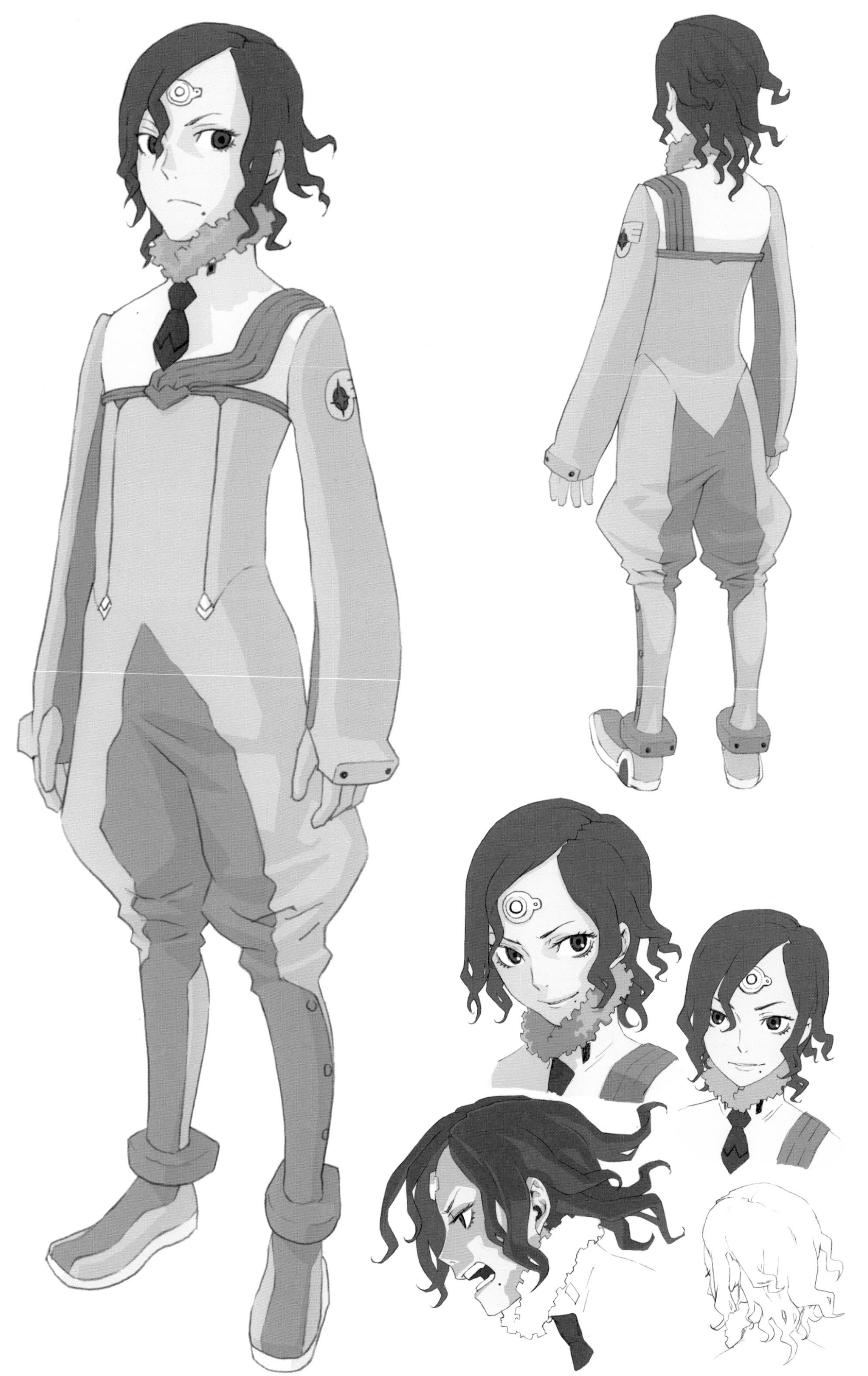

厚生労働省 特殊機関
シンボル「star of death」
発見覚知
追跡
補捉
現場処置
始末
遺体搬送

最高得点
HI-SCORE

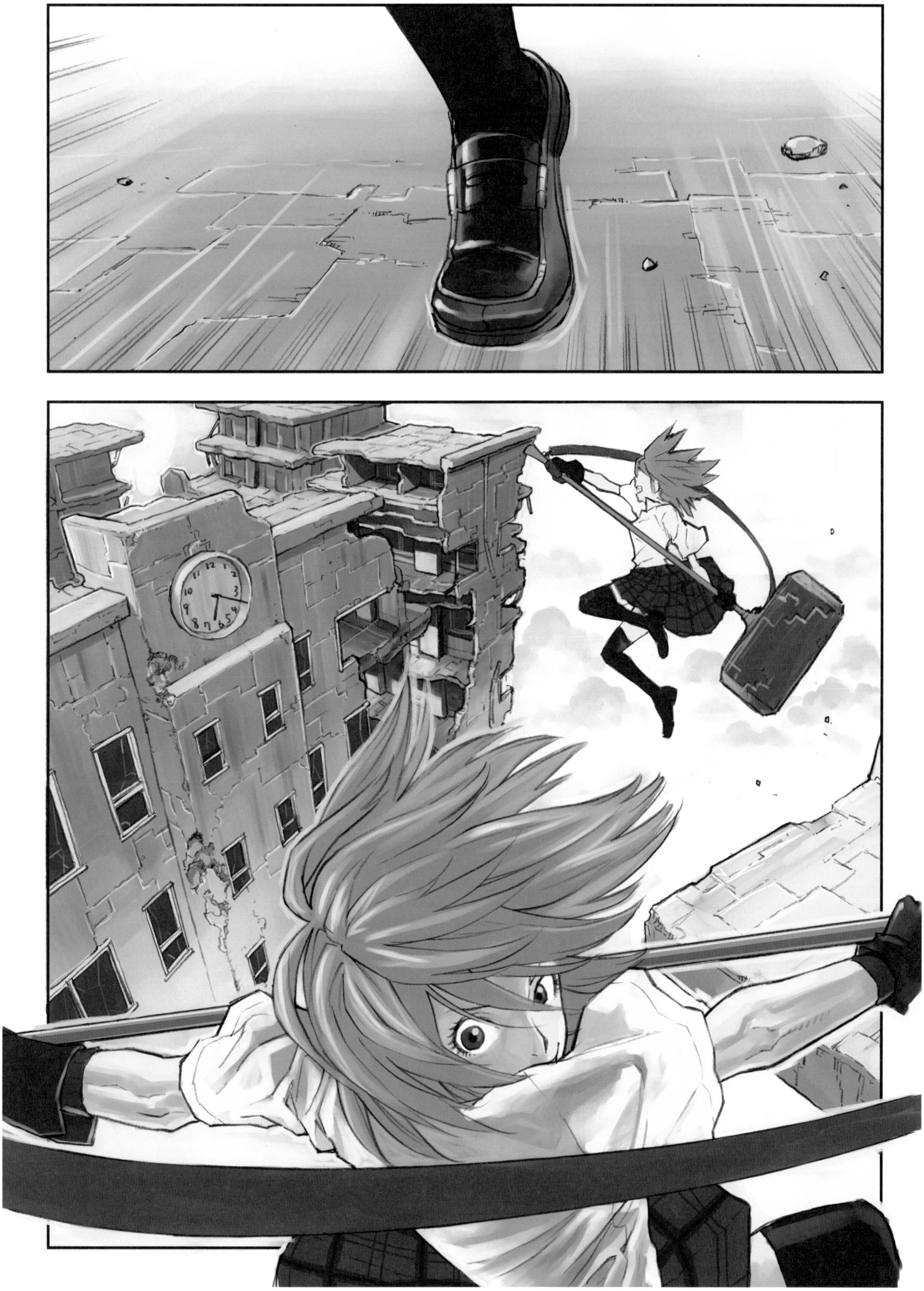

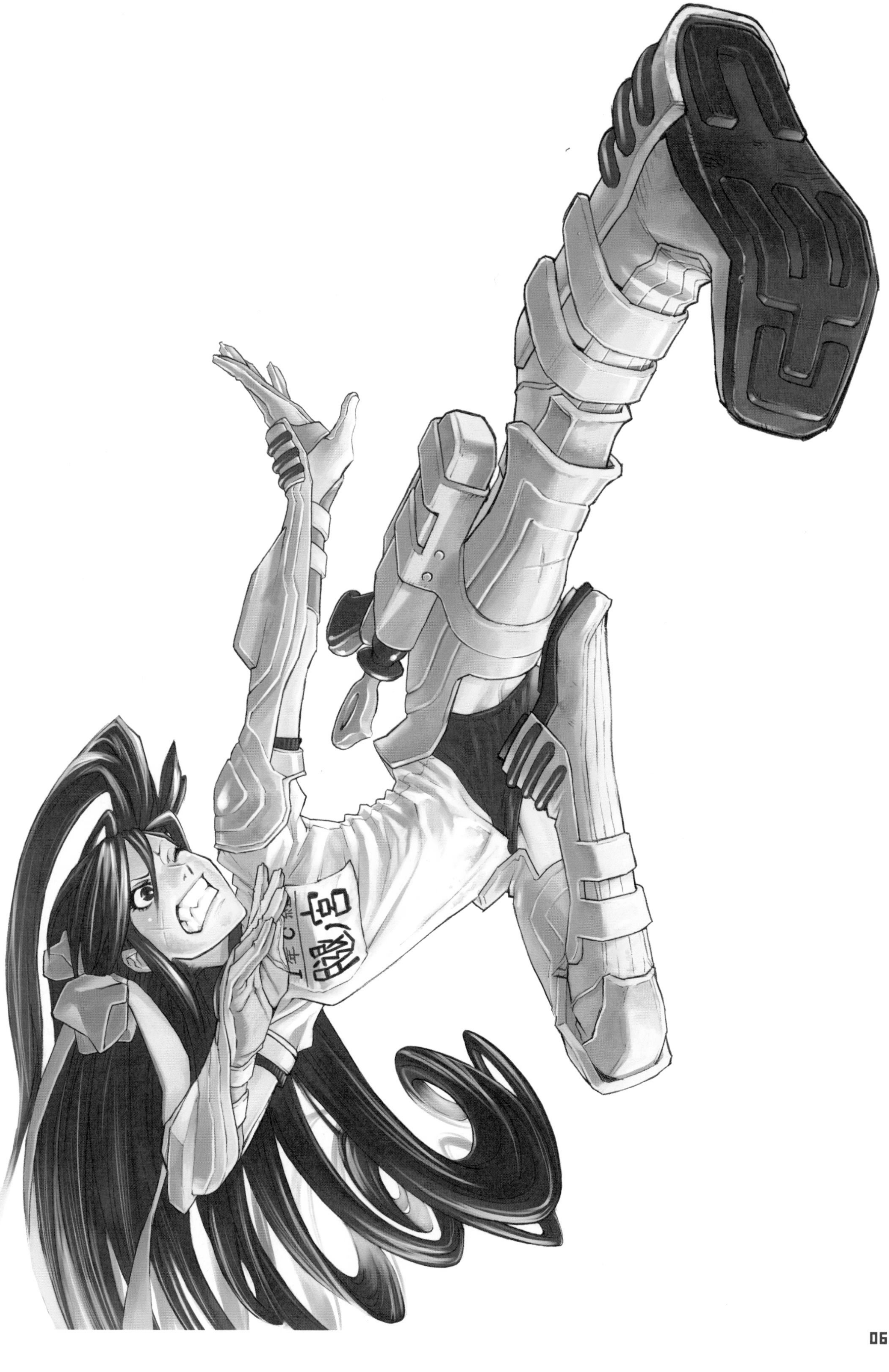

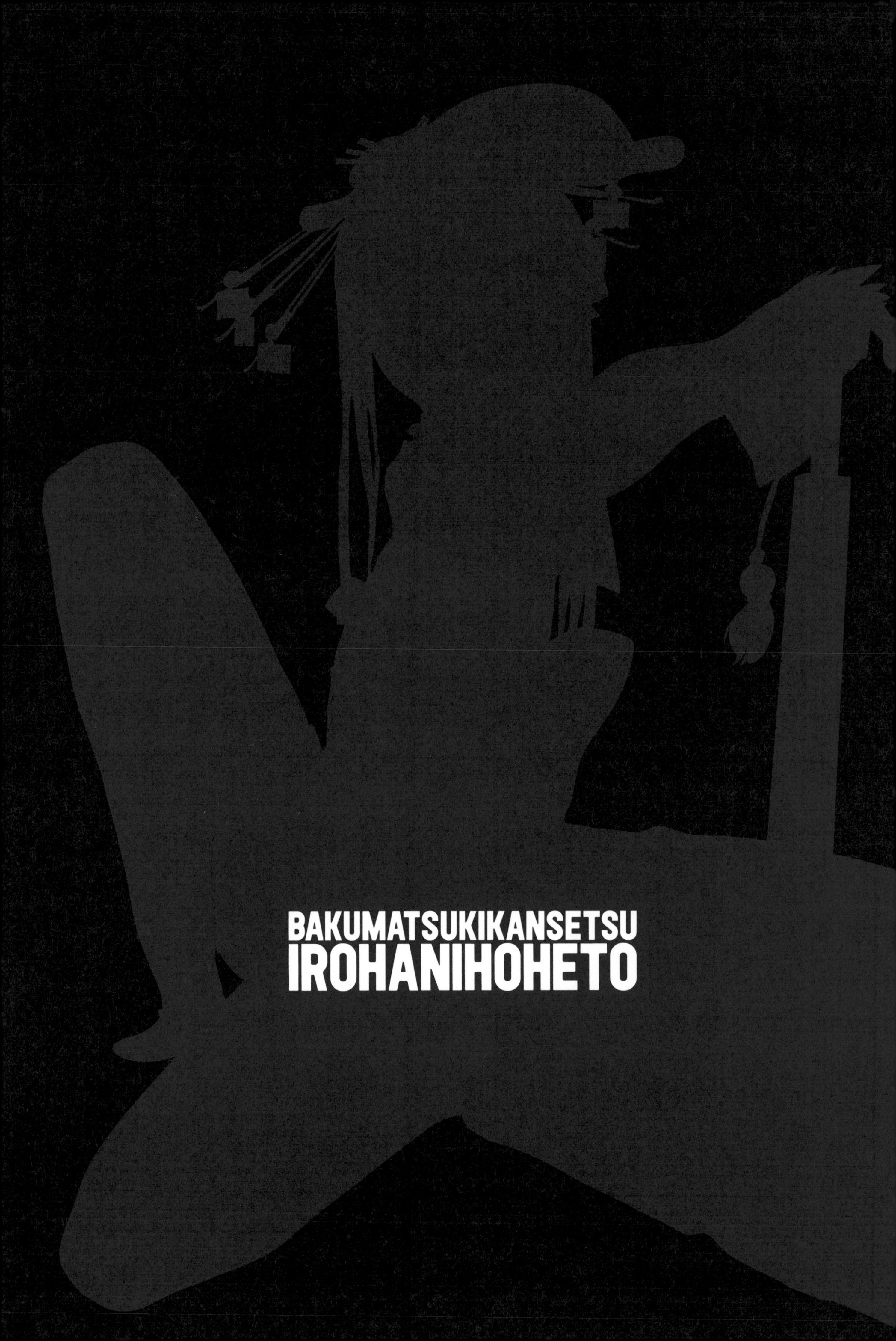
BAKUMATSUKIKANSETSU
IROHANIHOHETO

KS MELLOWS+ATTACKS MELLOWS+ATTACKS MELLOWS+ATTACKS M

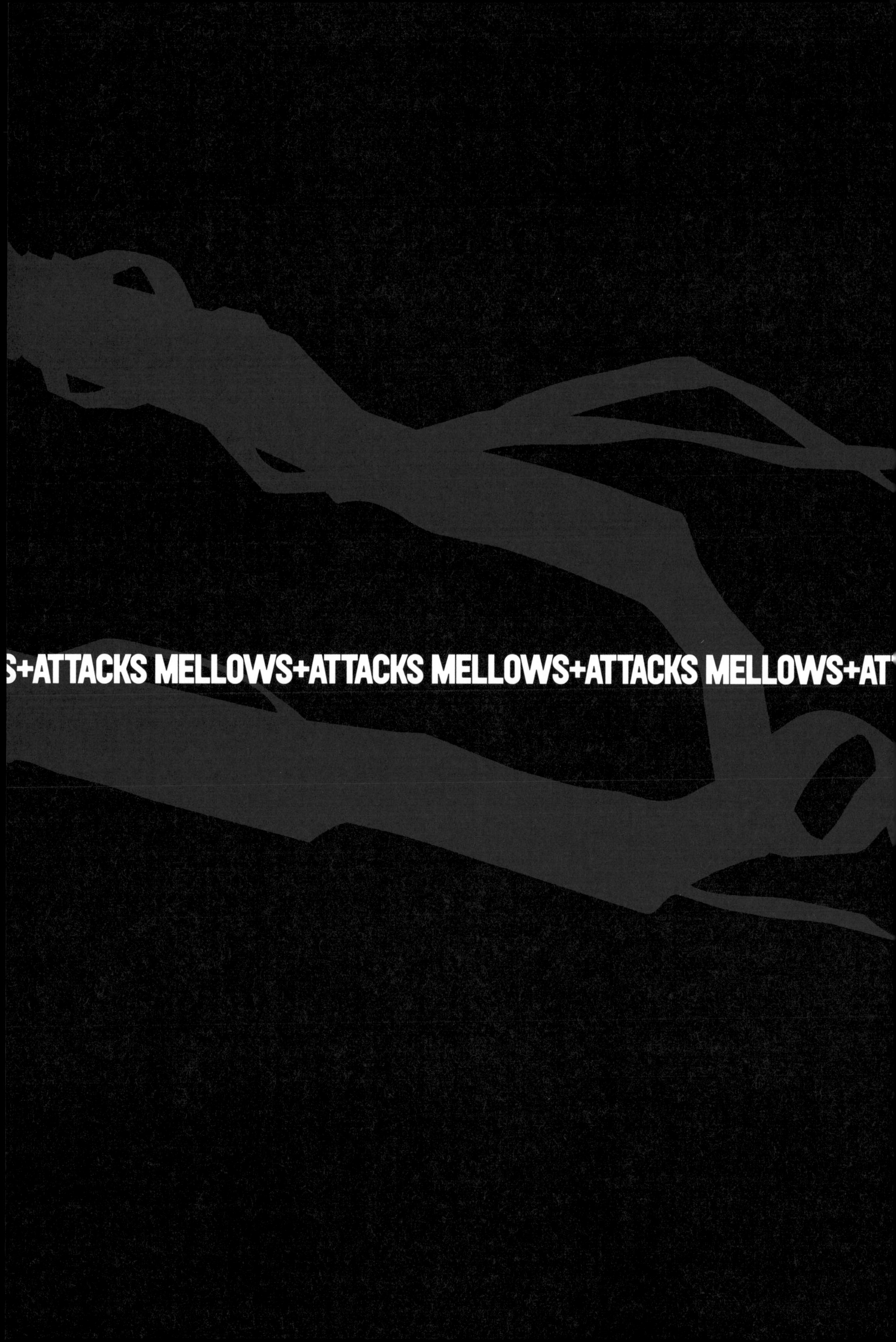
S+ATTACKS MELLOWS+ATTACKS MELLOWS+ATTACKS MELLOWS+AT

マッチ売りの少女
マッチは いかがですか一？
アイハブ ノッツ ファイアー
ヒャハハッ
マッチ
買えよ
ゴラァ
マッチ
さりげなく 買えよ!!
!?
なっ
つっこんだよ
何なんだね君は!!
わっ
わかったよ
買うよ
いてて
サンキュー
GAMEOVER

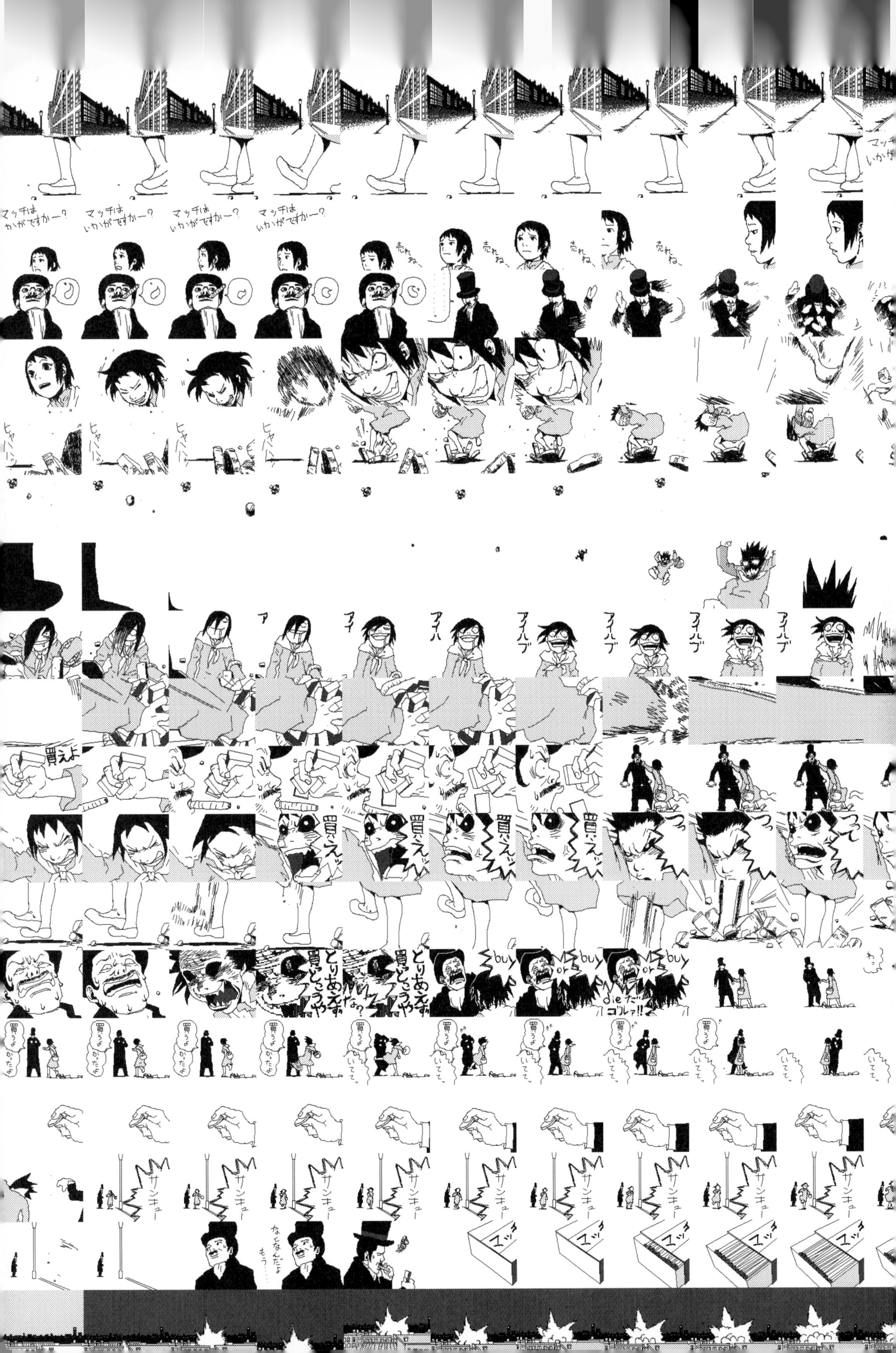

マッチは いかがですかー？
売れねー
ヒャハハッ
アイハブ
買えよ
買えッ
つって
とりあえず 買っとこうや
なぁ？
buy or die だ ゴルァ!!
買うよ
かったよ
いてて…
サンキュー
もう…なんなんだよ
マッチ

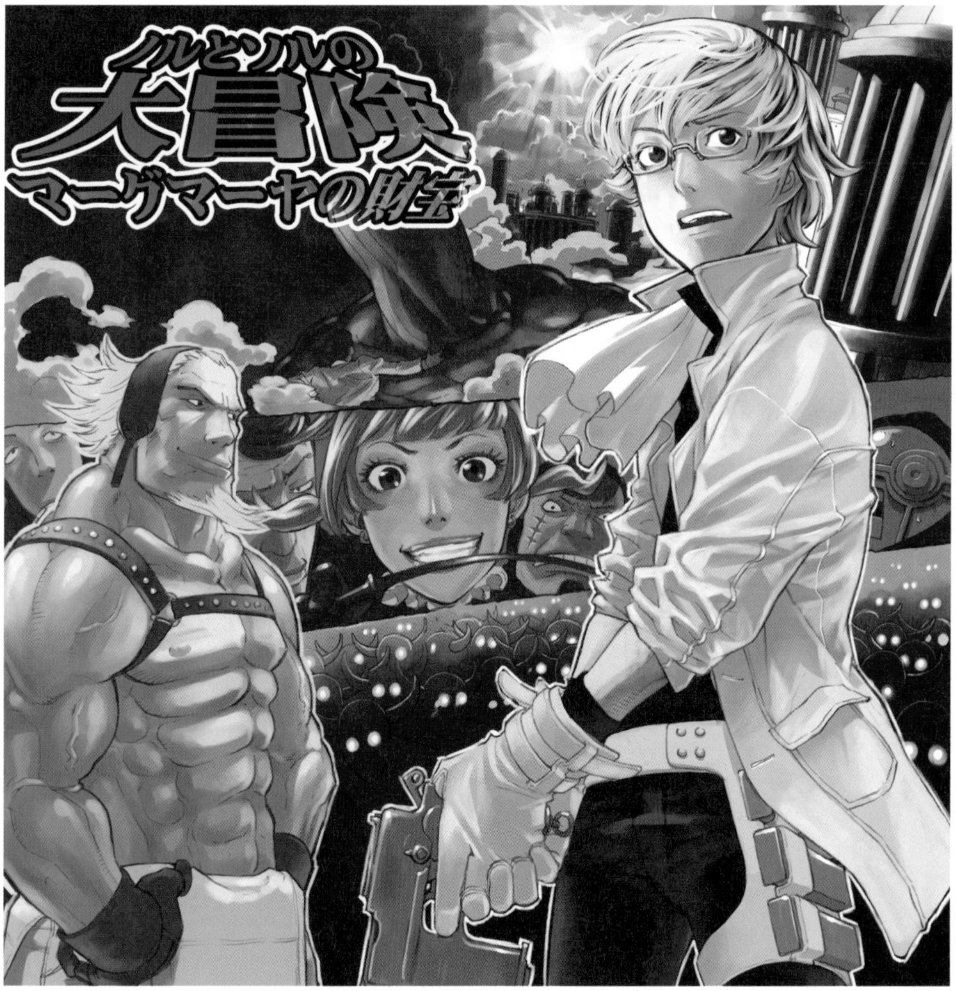
ノルとソルの
大冒険
マーグマーヤの財宝

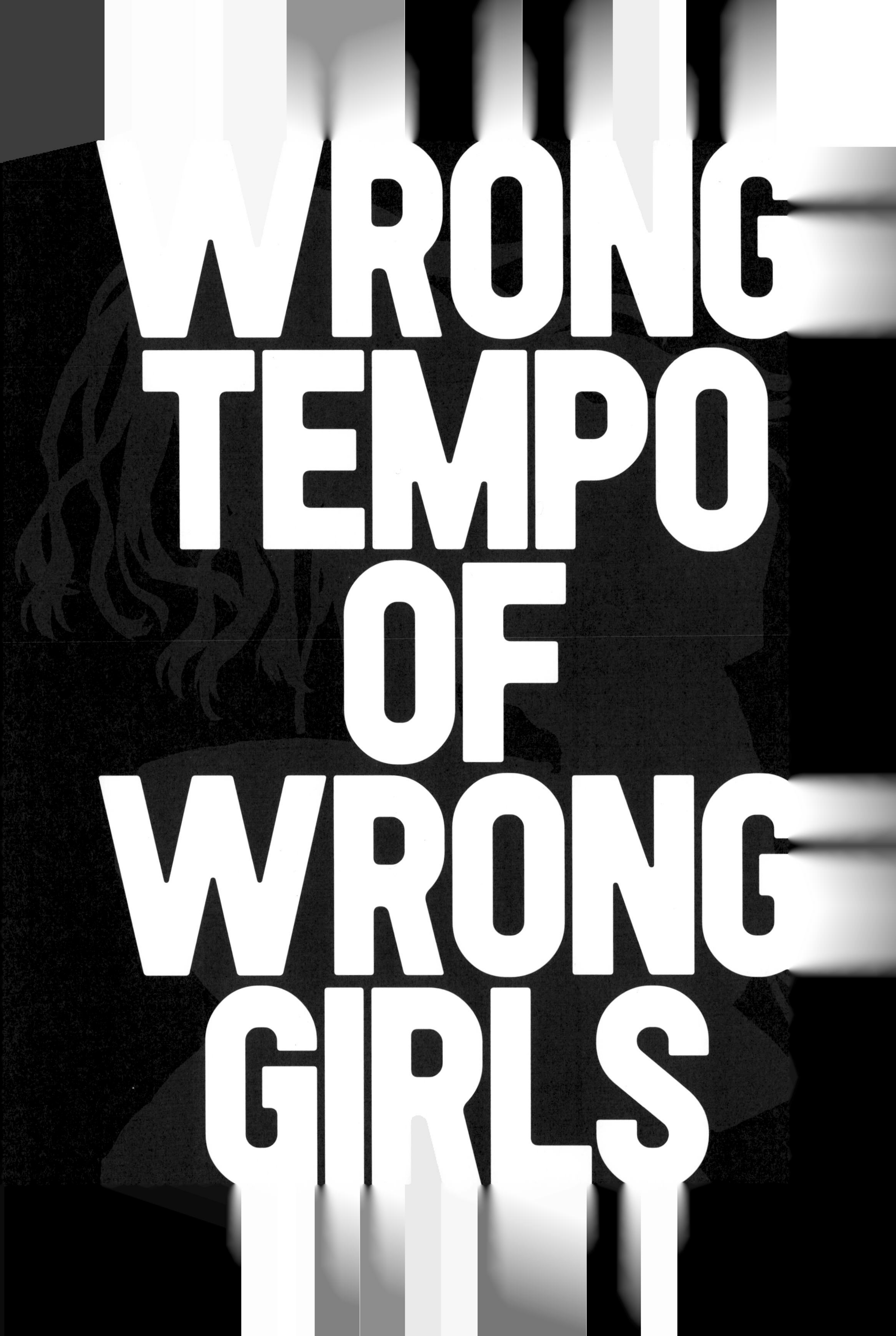
WRONG
TEMPO
OF
WRONG
GIRLS

286
25

WWW.KYMG.NET
[KYMG]
CLASSICS
1999

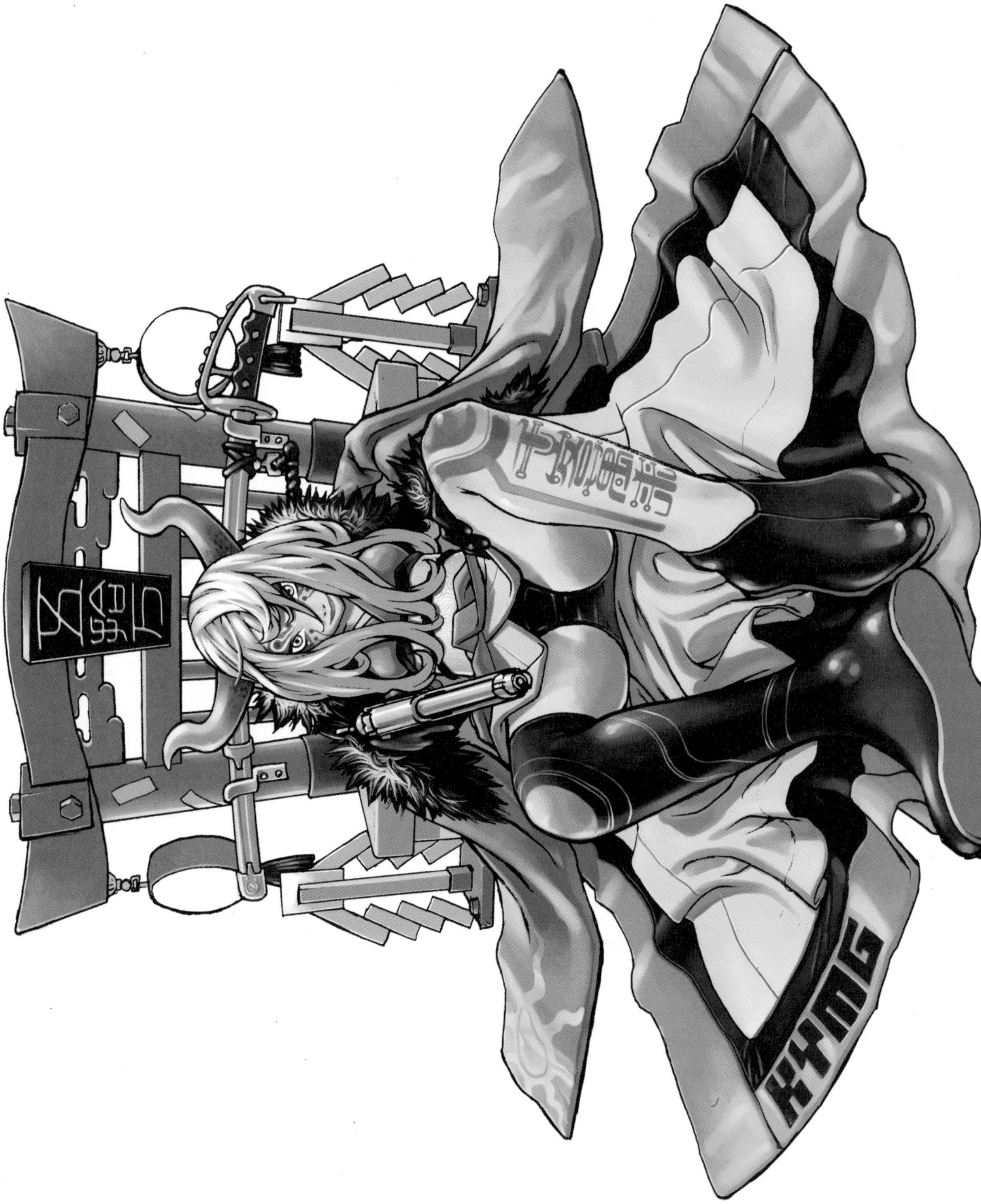

KYMG

雅

誠

総天然色大冒険活劇動画の決定版
大魔王ブリキスの復活を阻止せよ!!
夏休みチビッコ漫画映画大まつり
南瓜姫《カボチャヒメ》の大冒険 ゼンマイ太閤ノ罠
かぼちゃひめのだいぼうけん〜ぜんまいたいこうのわな〜
御存じ!! 室町スリップ放浪記
ドスコイザラリーマン
ーリストラ侍やさぐれ夢日記ー
劇場でもらっちゃおう
ピューン
'78 7/1 全国妙蓄系一斉ロードショウ
先行前売り券絶賛発売中!!
オ・ト・ナ：1800円
中高生：1500円
16連打小学生：1200円
※当日カボチャパンツ着用の婦女子のみ入場料一切無料（年齢不問）
株式会社 妙蓄映画 1978(C)コザキユウスケ 協賛：世界カボチャ普及連盟 KYMG: http://wF.3lrgm.ng.jp/kymg/

KYMG
06

KYMG

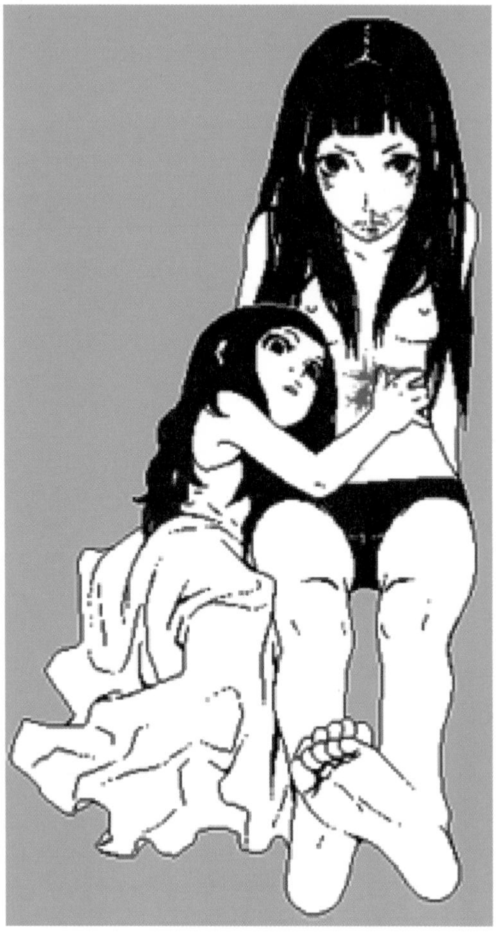

KYMG

PEN12
寿
Maniacers L
8
KYMG
'02.4.14

人肉って
イイヨネ

ドドドドドドドドドドド
ワァァァァ
ワァァァァ
ボクヲ
ジャキイッ

よしッOK!
GO! GO! 32P
恋に燃える乙女・カオルを襲う危機また危機……
だけどカオルにはスンゴイ秘密があったのだ!
未確認《みかくにん》非業《ひごう》少女《しょうじょ》
カオル
第40回ちば賞受賞後第1作で、
鮮烈デビューの21歳っス!!
小崎佑輔

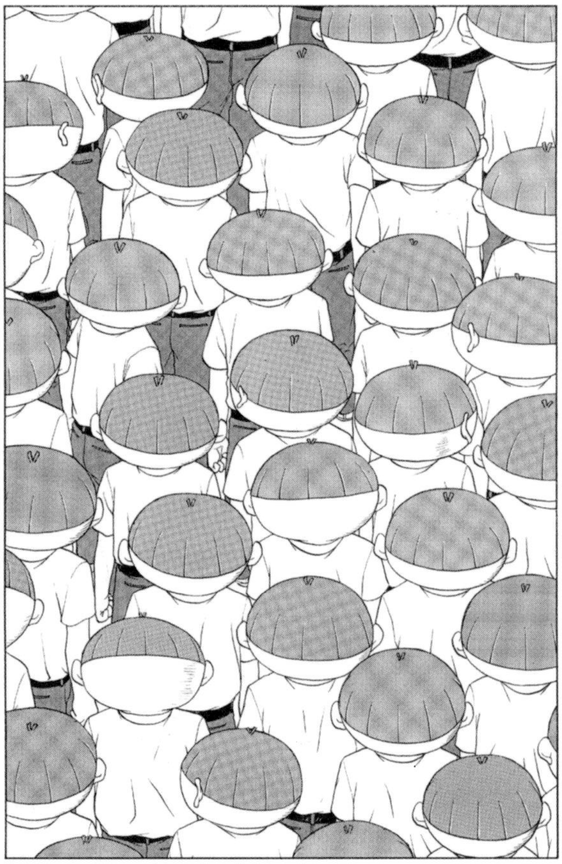

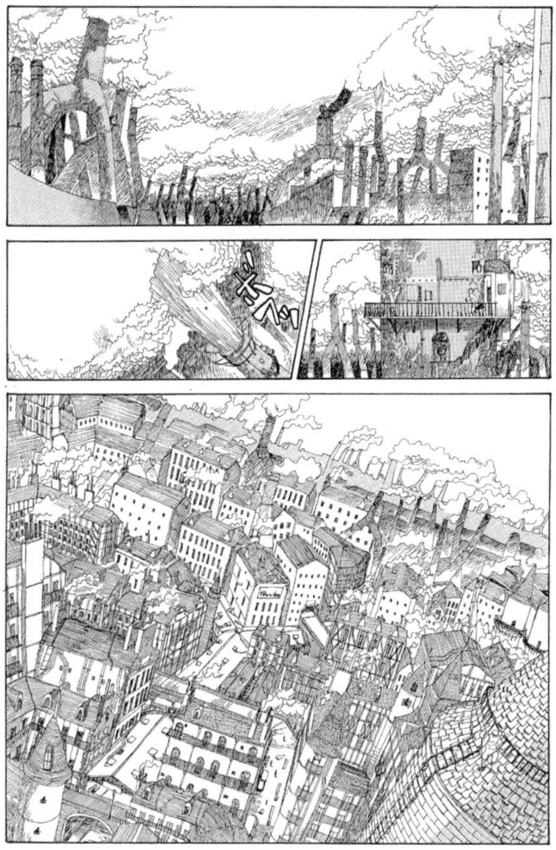

期待のルーキー本誌初登場!!
スパイラル
http://homepage2.nifty.com/manga_garou/
コザキユウスケ
ゲンナリ
こねェ〜!!
最近、躍動感、感じてる?
バーサン清算おねがーい
はいよー
おめでとさん!!
ちっ死ね!!!
オイ!! ババァ!! ココだけ出ねェよ!! 何でだよ!?

★秘密のツールでいきなり最強!★
魔法のゲーム攻略本
Mahouno-Game-Kouryakubon
SANSAI BOOKS

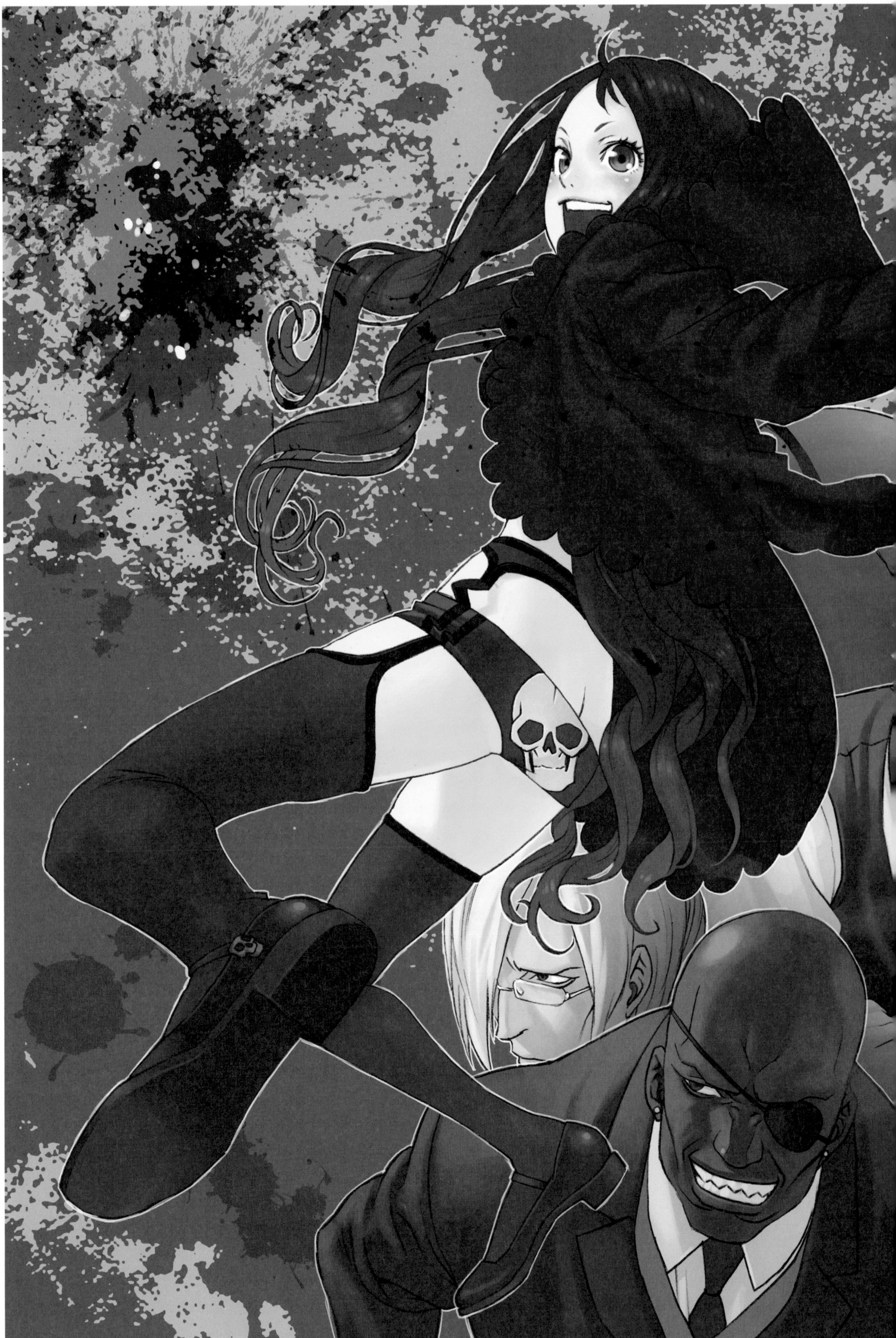

HEROES

NO MORE

六道最下層

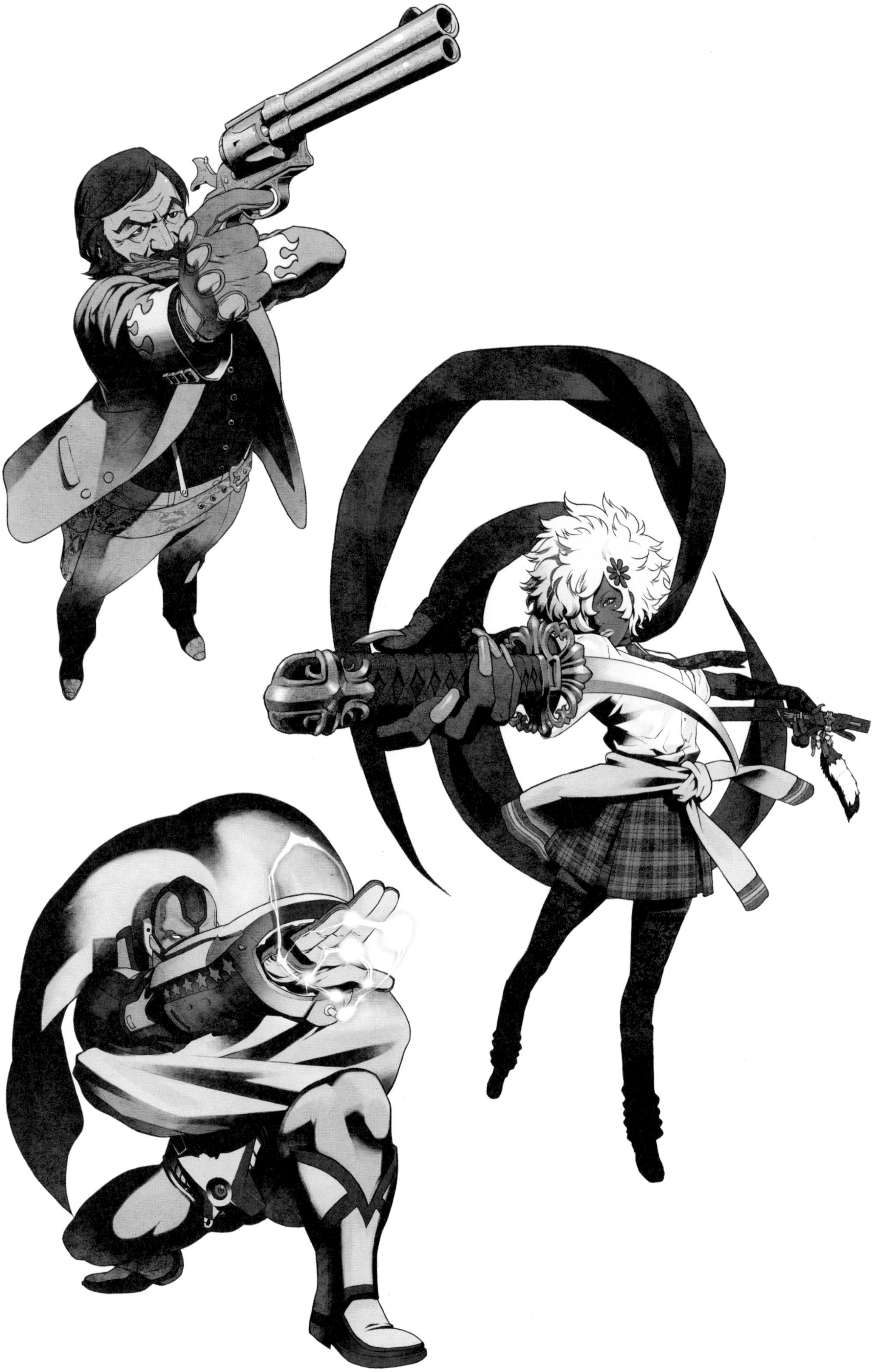

EGG

JWE

INTERVIEW
INDEX
BONUS

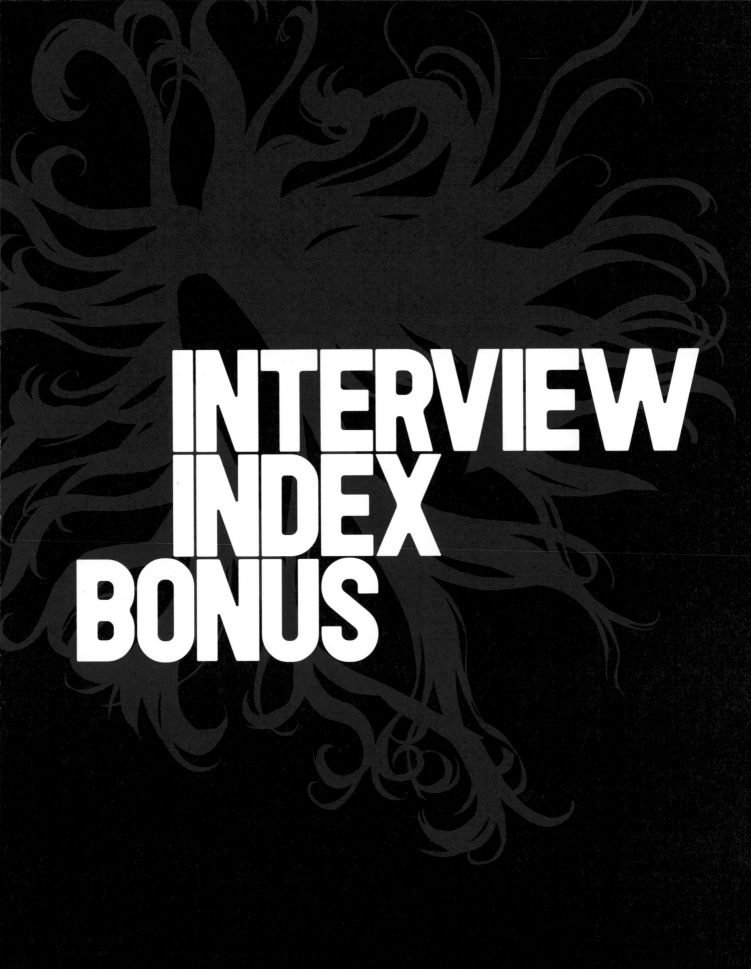

YUSUKE KOZAKI INTERVIEW

[インタビュー]

KYMG
YUSUKE KOZAKI ILLUSTRATIONS

②

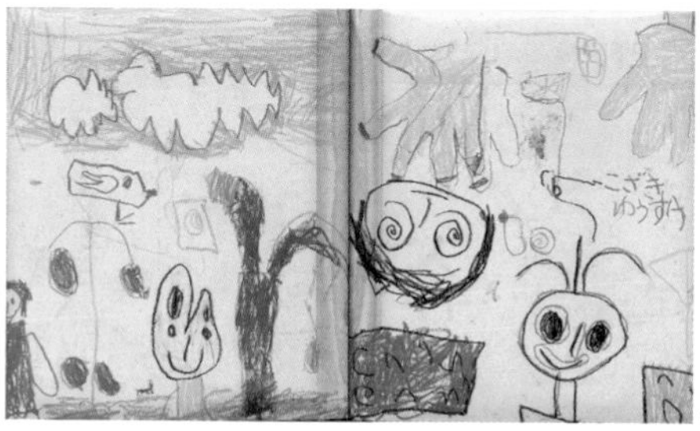
①

——覚えている中で、一番最初に描いたのは何の絵ですか？

一番古い記憶は、幼稚園に入る前の幼児教室という所で描いた絵（**画像①**）ですね。

確か3～4歳だったと思います。このQ太郎っぽいのも確かにQ太郎を描くつもりで描いた覚えが。木らしき物、兎や鳥らしい物、ギリギリ人とおぼしき物が描かれていますが、絵心はあまり無かったようです…。

——子供の頃から絵を描くのが好きでしたか？ また漫画家を目指そうと思ったのはいつ頃から？

絵を描くのは好きでしたが、好きな気持ちも技術も人並だったと思います。小学校低学年の頃はまだ天文学者になりたくて、毎日図鑑で星座を眺めていたのですが、小学校2、3年生の頃に藤子・F・不二雄先生の「ドラえもん のび太の恐竜」と鳥山明先生の「ドラゴンボール」に感銘をうけて漫画家を目指し始めた覚えがあります。

——では、初めてキチンと一本のストーリー漫画を描いたのはいつ頃ですか？

多分小学校4年生あたりからですね…。当時はもう1にも2にもドラゴンボールが大ブームだったので、コロスケみたいな「テンポウくん」というキャラクター（**画像②**）でアクション漫画を描いてました。もう手からビームが出るわ岩を砕くわ、およそ小学生が考え付きそうな要素をふんだんに盛り込んだ内容だったと思います。あのころ、クリスマスのプレゼントが漫画作成セットで、ファミコンが欲しかったのにガッカリした覚えがあります（笑）。でもそのころ、鳥山明先生の描かれた漫画作成教本「ヘタッピマンガ研究所」という本に出会いまして、その本で道具の知識やキャラ作りの基礎、パースの取り方などの全てを学んだ結果、当時小5でパースを理解するという気持ち悪い小学生になりました。

——「テンポウくん」小学生特有のユルさがかわいいですね。その頃のバトル漫画読んでみたいです。

酷い出来ですよ（笑）。でも当時キン肉マンも大好きだったんで、何気に友情っぽい物がテーマになってました。

——プロを意識し始めたのはその頃ですか？

意識してプロを目指し始めたのは小学校3年生からで、6年生の時に「ドラゴンクエスト4コママンガ劇場」というエニックス（※現スクウェア・エニックス）が出していた本に4コマ漫画を描いて投稿したりしていました。もちろん小学生の絵とネタです。オール没でしたが！

——小学校で描いていた漫画は友達に見せたりはしていました？

今もそうだとは思うんですが、学校といえば基本遊び道具を持ってきちゃいけない場だったんで、こういう自作漫画の類は良い娯楽でした。なので皆に良く貸し出したりしてました。ただ、学校のオリエンテーリングみたいな行事の時、展示してた自作のカプコン「ロックマン」の4コマ漫画を誰かに盗まれまして…。

——それは落ち込みますね。今その原稿が見つかれば相当貴重です。

かなりショックでした。

——では小学校からの目標であったプロデビューのきっかけは何ですか？

プロデビューのきっかけか…長くなりますが、専門学校の時に初めて本格的に投稿しようと思って描いた漫画がヤングマガジン（講談社）の月刊賞の奨励賞を貰ったので、忘れられない内に自分で編集部に電話して担当に付いて貰いました。その編集さんに見てもらいながら描いた漫画が、編集会議をパスし別冊ヤングマガジンの創刊号に載ったのがデビューのきっかけでした。才能はそんなに無かったので、そこからは2～3年ほどCGやWEBページの作り方を自宅で勉強しつつ、アシスタント業をしたり…。

——アシスタント時代の苦労話など聞かせてください。

アシスタント時代は苦労…とは感じてませんでしたが、40時間連続稼動とかあった時は大変でした…。1ページまるまる描いた背景が没になったり…。あ、思い出そうとすると結構あるもんですね。でも基本的にどこの職場も一緒に働いていた方々が良い方ばかりでしたので、楽しかった記憶が強くて苦労らしい苦労は感じませんでした。

——アシスタントをしながら、コザキさん自身はどんなジャンルの漫画を描こうと思っていました？

この頃からアクション物が好きで、漫画には必ずアクション要素を入れていました。

当時、スタジオ4℃のアニメ、主に森本晃司さんの作品が好きで、とにかく動きというものを意識した漫画を考えていたんですね。ただ、考え方が昔からあまり変わってない（というか成長していない）ので、ネタと言えば馬鹿馬鹿しい物やシュールでどうしようもない物をモチーフにしようとばっかりしていました。

——その頃、好きだった漫画家さんはどういう方でした？

好きだった漫画家さんは…高校の頃は大友克洋さんの作品が衝撃的で、一時期随分世界観に影響を受けてました。地元の友人に「似すぎてる」とツッコミを受けてから方向修正するのに随分苦労した記憶があります。20歳前後の頃は「スプリガン」の皆川亮二先生のアクションの描き方に凄く感銘を受けて勉強した覚えがあります。でもやはり、皆川先生のアクションも個性なので、自分独自の物を見つけなくてはと四苦八苦していました。とにかく、アクションありきで物を考えてしまう20代でした。

ここ数年になってようやく、キャラクターありきでのアクションなのだという事を痛感し、キャラの作り方、種類などを勉強中です。他には、漫画ではないですが、カプコンの2Dイラストを描かれていた方々の絵も好きで、1枚のキャラクターの絵にキャラクター性や躍動感、迫力等、その雰囲気を情報として詰め込む、という事を自分なりでしたが分析して学びましたね。

——アシスタントから連載デビューへと至るきっかけは何でしたか？

当時、コミックBIRZで「Marieの奏でる音楽」を連載されていた古屋兎丸先生に、ほぼバトンタッチの形で担当さんを紹介して頂きまして。暫くしてから「原作付きで連載をしないか」と言われたのが初連載のきっかけでした。最初は「原作付きはやらない」と心がけていたのですが、原作者が広井王子さんだと言う事を聞いて考えが変わって。それが今も連載中の「烏丸響子の事件簿」です。僕は広井さんの作ったメディアにたくさん触れて育った世代なので、そういう意味でも世代の離れた方との仕事というものに興味が湧き引き受けたんです。

——連載開始から6年目ですが、最大の苦労は何でしたか？

基本的には漫画作業は全部大変で苦労します(笑)。自分の理想と、実際の技術の無さや知識不足とのギャップに苦しみつつ描くのが基本なので…。でも、作画期間はスタッフが良い子ばっかりなので楽しく仕事をしています。

——本格的にデジタルへと移行していったのはいつ頃？ そのきっかけは何でしたか？

確か、21歳の頃アシスタントの職場の近くに住もうと思って、東京の中野で一人暮らしをしていたんですが、丁度1年くらい経った22歳の頃に、実家の母が再婚して引っ越す事になりまして。それでアパートを引き払い実家に帰ると、それまでは縁もゆかりも無かったパソコンが1台あったんです。母は猫のちりめん人形を作って個展を開いたりする作家なのですが、その売り上げで買ったみたいなんですね。で、初めてPainterを使い「これは凄い」という事でデジタルに移行し始めました。 そこから暫くアシスタント業をしながら家でHPを開く為にHTMLを覚えたり、Photoshopの使い方を学んだりが続きまして…それが大体2年間くらいですかね。その後、本格的に仕事に導入し始めたのは24歳頃です。最初に使ったPCはSONYのVAIOで、確かWindows98、PentiumⅢの500Mhzだったと思います。懐かしいです。しかもあの頃の液晶はまだ完成度も低くて、色も淡かったし視野角度も狭かったので良くわからずに紙に刷り出した時に、色味が物凄い濃く出て驚いたり。この画集にも掲載している、初期の絵の色味が濃いのはそのせいです。

——パソコンはお母さんに感謝ですね。

ですね。あの時パソコンを買ってくれていなかったら今の僕はまず居なかったと思います…。

——漫画、イラストを描く上でのこだわりや、気をつけている事はありますか？

漫画でもイラストでも、決めゴマに限らずキャラクターのシルエットを重視しています。 ポージングと服の形、それとカメラアングルが駄目だとせっかく格好良いキャラでもカッコ悪くなってしまうと思いますし。あと、完全な決めポーズよりも動作の中間を切り抜いた雰囲気を描くのが好きです。

——コザキさんといえばスタイリッシュで迫力あるアクション描写！というイメージがあるのですが、どういう物や状況からイメージが湧くのでしょう？

参考にしている物は特に無いですが、とにかく頭の中で一連の動きとカメラアングルとを妄想して、そこから切り抜いて絵を描き出したりします。漫画の場合は、一連のコマの繋がりを意識してなるべく流れが止まらないように演出しています。他には空気感、浮遊感、物と物の接触と破壊の気持ちよさは意識して描いていると思います。

——コザキさんは漫画とイラストという、似たようで手法の違うメディアでご活躍されていますが、その2つを意識して分けていますか？

イラストも基本的に、ストーリー性とキャラクター性を重視して描いているので、そういう面では漫画もイラストも同じですが、漫画の最も違う所は"描きたい絵ばかりではない"という所…でしょうか？ 漫画連載における苦労は…インタビュアーの担当さんが1番良く知っているのでは…！(毎月ごめんなさい)

※編集部注 1ヵ月が40日あれば…。

——では、仕事に疲れたりアイデアに詰まった時の気晴らしは何ですか？

仕事に疲れた時は寝るか、犬と遊ぶかです。映画も観ます。アイデアに詰まった時はとにかく何か出て来るまで机の前を動かないか、ファミレスなどに場所を移すかしますね。前はゲームが息抜きだったのですが、最近はそれほどゲームもしなくなりました。なんだか最近のゲームは複雑化&ボリュームがハンパじゃないものが多くなってきて付いていけないです(笑)。難易度も高いものが多いですから。ネットワーク対戦をしても基本負けるのでストレス溜まりますし…。

——犬と猫を飼われていますが(画像③・④)、漫画の作業中はおとなしくしていますか？ やっぱり癒されます？

最近、近所の公園で放浪してた三毛猫の子供を保護したんで、小雨という名前を付けて家族にしたんですが、仔猫のうちは本当に好奇心が旺盛なんで、キラキラ光るGペンの先が気になるらしく大事な所を描いてる時に横から手で突付いてきたりしますね〜。ホント厄介ですけど怒れないですよね…。癒し効果の方が高いので…。犬の餡子は大人しいです。仕事中はほぼずっと僕の膝の上で寝てます。1番歳上のあずみという雄の猫はもう随分歳なので大人しくスキャナの上で寝てる事が多いです。

——趣味である映画とゲーム、コザキさんにとって1番のヒットを教えてください。 また、それぞれのお気に入りなポイントは？

映画はホントにたくさんあるので、選びにくいんですが…！ 大王道ですけど「七人の侍」や、「座頭市」シリーズは大好きです。好きな俳優は緒形拳、山崎努、勝新太郎、大河内傳次郎…おっさんばっかりですね(笑)。戦後の時代劇ヒーローっていうのは普遍的であると思うんです(大河内さんは主に戦前に活躍された方ですが)。いつの時代に観ても変わらない熱さや、日本人の根底に訴えかける正義がありますよね。洋画ですと、誰が何と言おうと「グーニーズ」。世代のせいもあるかもしれませんが、あれを観ると1秒で少年時代に戻れます。ゲームも好きなタイトルが多いんですが、昔スーパーファミコンで出ていた「タクティクスオウガ」がベストタイトルですかね…。他には 「ジェットセットラジオ」シリーズ、「エースコンバット」シリーズ、「鉄拳」シリーズなんかが好きでした。古い格闘ゲームだと「真サムライスピリッツ」や「ヴァンパイアセイヴァー」等は今でもたまに遊びます。中学〜高校時代、この辺りの作品から受けた影響ってかなり大きいと思います。

——では今回の画集でも大きなボリュームを占める4作品についてそれぞれ聞かせてください。

●「烏丸響子の事件簿」

——恐らくコザキさんが最も長く描き続けているキャラクター烏丸響子ですがこうしてカラーイラストを並べて見ると、連載開始直後は少女だった響子が少しずつ色気や芯を感じさせる女性へと成長しているように思えます。そういったキャラクターの成長を意識して描かれていますか？

キャラクターに感情移入していると、キャラの成長と共に描くときの意識も変わってくるんですよね。そういう部分が主人公の表情に出てるというのと、あとはまだ僕自身の技術不足もありますね…。

——また、長く同じキャラクターを描き続ける上での苦労やポイントを教えてください。

同じキャラをずーっと描き続けるっていうのはかなり難しい事で、慣れでもなんでもなく、キャラクターの服装や小物のアイコンと、表情の雰囲気で決まってくると思っています。

●「スピードグラファー」

――ポップという印象が強かったコザキさんのイラスト、キャラクターですが、この作品で、それまでになかった退廃や妖しさの魅力が爆発して、コザキさんが描くキャラクターの幅が広がったのではないかと個人的には感じています。それまでの作品とカラーを変えているという意識はありましたか？

スピードグラファーに関しては、既に「烏丸響子の事件簿」でダークな世界のキャラクターを作る基盤が出来ていましたので、その辺の苦労は無かったんですが、世界観やキャラ設定がどうしても現実味あるデザインにしなければいけず、他の派手なアニメとどう差別化を図るか、という部分に苦労した覚えがあります。

――また、かなりのキャラクターバリエーションがありますが、最も苦労したキャラクターを教えてください。

一番苦労したキャラクターは…基本的に全部です（笑）。それまでアニメの仕事なんてやった事もなかったですし、アニメを沢山観ていたわけでもなかったので…。

●「幕末機関説いろはにほへと」

――それまでのキャラクターデザイン作品と違って、はっきりと時代や歴史的事実などがバックボーンにある事で、何か描き方で違った点はありますか？

この作品で難しかった点は、「史実のif」である事でした。故に史実の人物がたくさん出てくるので、作品オリジナルキャラクターとのデザインに大幅な落差が出てしまわないように細心の注意をしました。でもやっぱりアニメ作品ですし、和洋折衷の観てかっこいい・楽しいデザインと言うのははずせないので、ただの紋付袴にしたりせず、その辺りのバランス調節にも苦労しました。

――テーマ性のきっちり作りこまれたものと、好きに描いてよい作品、どちらの方がコザキさんの性にあっていると思いますか？

どちらでも自分で楽しんで作れる部分を見つけて、そこで勝負します。

――刀や拳銃を抜く・構える、そういう動作や立ち姿の色気が、この作品の最大の魅力の一つだと思いますが、コザキさんが描く上でポイントとしていた部分を教えてください。

武器に関しては、絵的にカッコつけるための単なる「飾り」ではなく、あくまでも「殺しの道具である」という意識を強く持って描くようにしました。それはこの作品だけに限った話ではないですが、銃にしろ刀にしろ重みを感じるようにしました。

●「ノーモアヒーローズ」

――「殺し屋」というアウトローキャラばかりなのに、コザキさんの作品中で最もポップに感じます。そういう対極にあるものをミックスさせるという感覚に影響した作品などはありますか。

クエンティン・タランティーノ監督の「キル・ビル」などがよく言われる例ですが、あくまでもクライアントとのミーティングで相手に分かりやすく伝える為に出た作品名ですね。系統は一緒なのは否めないですが、むしろ「似てる」と言われたくない精神は念頭にありましたので注意しました…僕自身もタランティーノ監督の作品は大好きなので（笑）。おかげで何かが「似てる」との話は聞かないのでホッとしています。

このゲームのキャラデザインで入れ込んだテーマは"ギャップ"で、デブのババァのスナイパーであったり、黒人女子高生に刀であったり、通常は組み合わせないアイコンをなるべく組み合わせる様に作りました。なので、記憶にある限り派手にネタが被った他作品は無いんじゃないかな…と思います。ヤバかったのは、「ホリー・サマーズ」という片足が義足（武器）の美女というキャラ設定画が出来上がった所でちょうど海外からロバート・ロドリゲス監督の「プラネット・テラー」という（またもや）タランティーノ監督絡みの映画の情報が入ってきて、日本で正式発表される前に露出しなきゃ…と慌ててそのキャラだけ先行してパブイラストを完成させた覚えがあります。つまり、影響を受けた作品は基本的に無いと思います。でも無から何かを作る事は出来ないと故・黒澤明監督もおっしゃってたそうなので、きっと脳裏に残ってる何かがデザインに出ている事は間違いありません。

――アメコミ的なテイストのキャラクターが多いのも特徴的ですが、アメコミで好きな作品などがあれば教えてください。

あまり漫画は読まないのですが、X-MENやHELLBOYは好きです。

――「バッドガール」「スピードバスター」（共にP111に掲載）という2キャラのモデルなどがいましたら教えてください。好きなキャラクターでして…。

ありがとうございます（笑）。バッドガールはプロデューサーさんの注文で「ブリトニーみたいな感じ」で、スピードバスターにはモデルは居ませんが、ネットで「fat mother」で検索した画像を参考に描きました。

――それでは、最後にコザキさんの作品を楽しみにしているファンの方たちに向けて一言お願いします！

画集を手にとってくださってありがとうございます。昔から画集を出すのも一つの夢でありました。デビューから10年近く経ち、ここで区切りという意味でも最良の1冊が出来上がったと思います。これまで仕事で関わった全ての方々、応援してくださっている全ての皆様に感謝の言葉をお送りしたいと思います。これから先もよりよい絵をお届けできるよう、精進していきたいと思います。永遠の若輩者ですが今後とも何卒宜しくお願いいたします…!!

③

④

COMMENT INDEX

［初出一覧］

KYMG
YUSUKE KOZAKI ILLUSTRATIONS

P003 | 2008 「鳥丸響子の事件簿」
BIRZ本誌表紙

担当Kさんから「たまには熊野も…」とのリクエストで描きました。二人構図も楽しいですが、雑誌の表紙って思ったより難しいんです…顔を良く見えるように描くにはやっぱりバストアップになりがちですし。勉強不足ですね。あ、しまった…！響子が前回(P007)と似た構図だ！

P004 | 2004 「鳥丸響子の事件簿」
BIRZ本誌表紙

確かビーストリートっていう雑誌からBIRZへ移籍した時に最初に描いたBIRZ表紙です。ちょっと、煮えたぎってますねえ。顔の所を少し修正しました。

P005 | 2005 「鳥丸響子の事件簿」
BIRZ本誌表紙

BIRZ表紙2回目。今回はアッサリ目です。クリーム色って案外使いづらいですね。血糊を乗せると激しさが加わってグーです。顔部分を多少修正。

P006 | 2006 「鳥丸響子の事件簿」
BIRZ本誌表紙

キャラクターの数も増えてきたんで、鳥丸でも一度やってみたかった集団絵。構図に悩みました。

P007 | 2007 「鳥丸響子の事件簿」
BIRZ本誌表紙

前のBIRZ表紙から随分間を空けて久しぶりの表紙。バックを赤くするのは癖です。銃身の角度って重要ですよね。このくらいの角度が丁度好きです。

P008 | 2006 「鳥丸響子の事件簿」
BIRZ本誌表紙

響子で真正面。光ってる赤いエフェクトみたいなのは鬼の角をイメージしたような記憶があります。この架空の銃の刃の部分がまた難しい…頭部を多少修正。

P009 | 2003 「鳥丸響子の事件簿」1巻カバー

第1巻の表紙。単行本は初めてだったので緊張した覚えがあります。なんだか色んな方面から褒めて頂いた絵。ありがとうございます。

P010 | 2003 「鳥丸響子の事件簿」1巻口絵

普段は使わないPainterの画材で描いた絵。主線を描かない絵も僕としては珍しい絵。

P011 | 2004 「鳥丸響子の事件簿」2巻カバー

第2巻の表紙。鉛筆の線を残すような、がしがしした感じを出そうと試みたのですが…どうなんでしょう。気づきにくいですがスカートは微妙に透けてたりします。

P012 | 2004,2005 「鳥丸響子の事件簿」
2巻口絵 / 3巻口絵

右/第2巻の口絵です。闇の中からうっすら出てくる鬼のような形相の熊野、でイメージが固まりました。こわ。銃に煙を追加してみました。
左/順序的には3巻にやっぱり来ますよね。三田村さん。真上から強めに光を当てて重い迫力を出してみました。仕込み杖いいですよねえ…大好きです。座頭市。

P013 | 2005 「鳥丸響子の事件簿」3巻カバー

第3巻の表紙になります。響子の中に居る、野生的な鬼の部分を出せたらと思い描いたんですが、「ちょっと怖い」と多方面から…じゃあ成功ですね。

P014 | 2006 「鳥丸響子の事件簿」4巻カバー

鳥丸の肩口からカラスが…アイデアは好きですけどね。初出では顔の影が濃すぎたので、影の色と顔を多少修正。

P015 | 2006 「鳥丸響子の事件簿」
4巻口絵 / 5巻口絵

右/4巻の口絵は内田とイザナイ。色が好きです。イザナイは原作になかった僕のオリジナルキャラで、名前の由来は「誘(いざな)う」から。
左/5巻の口絵は杉浦隊長で。おっぱい大きいんですね結構。アハ。杉浦さんはイギリス軍人ですが日本人ですよ。

P016 | 2006 「鳥丸響子の事件簿」5巻カバー

5巻表紙はイメージを一新して集合絵に…。「最終巻みたい」と何人かに言われました。俺もそう思います。でも続きます。空の色が良い色だせました。

P017 | 2007 「鳥丸響子の事件簿」6巻カバー

第6巻表紙は再び響子ピンです。派手に血糊を吹き付けました。半紙に向かってインクの付いた面相筆を吹いた時、勢い余ってモニタがインクだらけになったのは良い思い出です。

P018 | 2007 「鳥丸響子の事件簿」6巻口絵

6巻口絵は五百蔵と仁磨楽。五百蔵は好きでしたねぇ。恋女房の仁磨楽は東北の雪女にあたる鬼なのです。

P019 | 2005 「鳥丸響子の事件簿」第18話カラー

編集サイドで何故か妙に評価の高かったカラー扉。色味は凄く気に入っています。こういう空の日ってわくわくしちゃうんで、絵にもよくこういう空を描きます。

P020 | 2002,2005 「鳥丸響子の事件簿」
第1話見開きカラー / 第21話カラー

右/鳥丸響子第1話目のカラーページより。見開きの響子はなんだか幼い感じがしますね。顔部分を修正加筆。
左/なんだか凄くハードボイルドな響子ですね。たまには肌を見せたかったのでって理由で描いてた記憶があります。

P021 | 2004 「鳥丸響子の事件簿」
第10話カラー

鳥丸響子の事件簿より、熊野と三田村というキャラクターです。渋いオッサン二人で扉を飾る(しかもカラーで)なんて冒険ですねえ…個人的には三田村が好きです。

P022-023 | 2005 「鳥丸響子の事件簿」
第26話見開きカラー

見開きでどーんと威風堂々な絵を描こうと思って描きました。この漫画を象徴するような絵になったと思います。響子の顔を修正。

P028 | 2002 「烏丸響子の事件簿」
sample1

当時、烏丸響子の事件簿の連載が始まる前、原作者の広井王子さんにお会いする直前に描いたサンプルページです。この頃は背景はフリーハンドで描いてたんですよねぇ。まだはっきりしたシナリオが無かったので、寡黙なはずの響子らしきキャラが「ひぃぃぃ」とか言ってます。面白いですねー。

P026-027 | 2008 「烏丸響子の事件簿」
描き下ろし響子

本編では響子の裸はなかなか出ませんが、せっかくの画集ですので思い切り描きました。
裸描くの楽しいですね。体のラインをあーでもないこーでもないと考えるのが…。

P025 | 2006 「烏丸響子の事件簿」第31話カラー

構成勝負の絵。赤の色を上手く配置して、印象を狙ったんですが…どうでしょう?

P024 | 2004 「烏丸響子の事件簿」第13話カラー

仕事から帰ってきて風呂も入らずに布団に直行、な響子でしょうか。傷だらけですね!色々修正。

P032 | 2004 ComicWorks パッケージ

漫画をPCで描く為のソフトのパッケージに描き下ろした絵。今でもたまに店頭で見かけてドキっとします。上の背景は宮下弘樹氏。

P030-031 | 2005 HONDALADY「TVTB」
CDジャケット

描くのにえらい時間のかかった一品。四面ループです。パースはほぼ感覚パース。やれるもんですねなかなか!

P029 | 2002,2005 「烏丸響子の事件簿」
sample2/コミケ用カット1・2

右/同じく、烏丸響子の事件簿の連載が始まる前、原作者の広井王子さんにお会いする直前に描いたサンプルページです。
中・左/幻冬舎コミックスがコミケ出展との事で急遽来た依頼。同じBIRZ内で描いてみたいキャラを選んでいくつか描くという物です。これは凄く楽しかったです。

P028 | 2005 「烏丸響子の事件簿」
コミケ用サイン色紙

幻冬舎コミックスのコミケブースで行われたサイン会の為の色紙にプリントされた絵。意外と気に入っています。

P037 | 2005 「スピードグラファー」
DVD第5巻ジャケット/第6巻ジャケット

右/DVD5巻で一度大ボスの水天宮様を。血の羽って構図作りやすくて描きやすかったです。羽根の根元等若干の修正。
左/血の背景に秘密クラブの目を光で描き、手前に天王洲グループの家紋(?)を配置。構図的には若干不満でしたが血が血っぽく描けたので。

P036 | 2005 「スピードグラファー」
DVD第3巻ジャケット/第4巻ジャケット

右/ダイヤモンド夫人ですね。これも癖の強いキャラクターでしたね～。思い入れも強いです。ジャケットは綺麗にまとまったなあって印象。
左/3人目の刺客、変態歯医者さんの溝ノ口先生。企画ミーティング中に5分で出来上がった傑作キャラクターです。この絵のファイル名は「歯」。

P035 | 2005 「スピードグラファー」
DVD第2巻ジャケット

第2巻はゴム人間です。声優の子安さんの声がベストマッチでした。ジャケットイラストはかなり良い感じに描けたと思います。後ろの主役二人の顔を少々加筆。

P034 | 2005 「スピードグラファー」
DVD第1巻ジャケット

DVD第1巻ジャケット。この色の組み合わせ、凄く好きなんですがいつも使うわけに行きませんからね…なのでここぞというときに。舞ってるお金はGONZOさんにお願いしてCGで貼り込んで頂きました。

P041 | 2006 「スピードグラファー」
DVD第12巻ジャケット

最終巻は神楽と宇宙までうっすら見えるほど突き抜けるような青い空でフィニッシュ。当時一回大人っぽい神楽を描いて没を頂き、キャラのみ丸々描き直しました。

P040 | 2006 「スピードグラファー」
DVD第10巻ジャケット/第11巻ジャケット

右/国会議員の音響ユーフォリア、落合さん。後の効果は紙をちぎって加工した物ですが、なかなか面白い雰囲気が出せました。
左/首相の神谷と再び水天宮さん。金屏風に羽根の形の血をドバッと描きました。気持ちい構図になりました。

P039 | 2006 「スピードグラファー」
DVD第8巻ジャケット/第9巻ジャケット

右/雑賀と神楽と人魚のミハル。水中っぽく描けてますかねぇ…?
左/銀座×3馬鹿トリオで1枚。この人たちは皆誰かに心を囚われてるので有刺鉄線をモチーフに。

P038 | 2006 「スピードグラファー」
DVD第7巻ジャケット

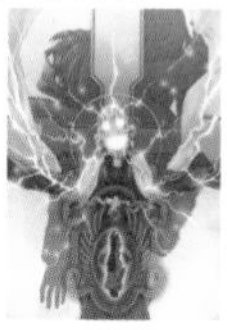

ヨン様ならぬ蘭様と神父の神田での合わせ技。コメントは特に無いですが、レイヤーが凄く多かったです。

P045 | 2005 「スピードグラファー」
番組エンディング

エンディングで神楽の簡単な動画を描いて欲しいとの発注を請けて描いた8枚のアニメ。素人にアニメを描かせるとはGONZOも懐が深いです。

P044 | 2005 「スピードグラファー」
番組エンディング

一度縦長に描いた物をリテイクで横長に調整加筆した記憶があります。ここで飛んだ綿毛がDVD12巻のタンポポに繋がるわけですね(今思いつきました)

P042-043 | 2005 「スピードグラファー」番組エンディング

当時物凄いヤバイスケジュールの状態で請けた記憶があります…作品内容が割と黒い感じだったので、EDは逆に明るめにしました。

P048-049 | 2005 「スピードグラファー」 キャラクターカード

当時DVDのオマケとして付いたトレーディングカード(ポストカード?)用に描いた絵。4巻で打ち止めになってしまいました…コストの問題とも聞いていましたが、まあ女性キャラも少なかったですしね。

P047 | 2005 「スピードグラファー」
番組エンディング

右/後期エンディングの水天宮さん。スピードグラファーはとにかくお金の話なので、このモチーフは外せませんでした。札の貼り込みがなかなか大変。
左/後期エンディング。仲良し3人組で1枚。悪役っていう位置付けのはずなのに、憎めない気持ちが絵に出てしまいました。

P046 | 2005 「スピードグラファー」
番組エンディング

右/銀座さんです。この頃キャラデザイナーの石浜さんの髪の毛の描き方の影響をちょっと受けてました(笑)
左/雑賀と神楽の平和な感じの構図。かなり妙な構図だったのですが、強引に形付けました。2枚の絵は別々に描いています。

P050｜2005 「スピードグラファー」
キービジュアル

最初にちゃんと描いたスピードグラファーのイラスト。キービジュアルにあたる絵です。気合が入りすぎ、「劇画っぽくてイイね!」と言われ「ウーム」と唸る。

P051｜2005 「スピードグラファー」
「月刊電撃コミック ガオ!」寄稿

右/メディアワークスさんの「電撃コミック ガオ!」に寄稿したピンナップ。ピンクいです。
左/メディアワークスさんの「電撃コミック ガオ!」の表紙に描かせていただいた絵。結構ゴリゴリ塗ってますね。

P052｜2005 より子「Break the Cocoon」
CDジャケット

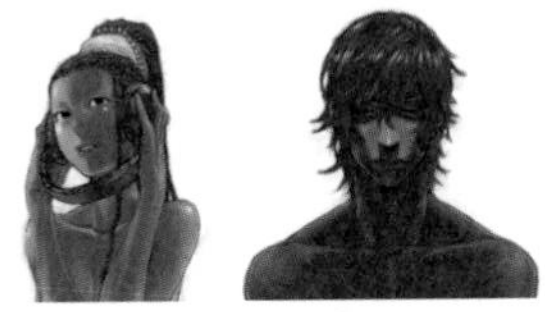

スピードグラファーのEDに歌を提供してくださったEMIミュージック・ジャパン所属のよりこさんとジャケットのコラボレーションした時に描いたコラボ前の物。

P053｜2006「スピードグラファー」
イラスト集「SHUTTER KILL」

メディアワークスさんから出して頂いた、スピードグラファーのイラスト集の描き下ろし。なるべく全員集合を目指しました。作中に出てきた女子高生まで居ます。

P053｜2006「スピードグラファー」
イラスト集「SHUTTER KILL」

メディアワークスさんから出して頂いた、スピードグラファーのイラスト集の描き下ろし表紙。神楽の髪の毛長いですねぇ。わざとですよ。

P054-055｜2005 「スピードグラファー」CM用

アニメ　スピードグラファー関係のTVコマーシャル用に描き下ろした漫画風の絵。コンテ（右から2番目）の、神楽のお尻にこだわりました。

P056｜2005 「スピードグラファー」ドラマCD
「大冗談 スピードグラファー」 ジャケット

大冗談スピードグラファーのジャケット。馬鹿ですね!描いてて最高に楽しかったです。

P058｜2005 「トップをねらえ2!」
キャラクターデザイン募集(貞本義行賞)

GAINAXの「トップをねらえ2!」が好きだったので、一般で応募した絵。貞本賞を頂きました。本編にもちぃぃぃさくですが出てますよ。選考漏れしたら恥ずかしいので本名の漢字で応募したんですが、発表ページではペンネームに直されてました。

P059｜2007 CSフジテレビ739「デジ絵の文法」

CSフジの番組に出させて頂いた時に描いたもの。真夏の中、8畳の部屋にライトやカメラ等の機材、人が4～5人居ればそりゃ汗もかきます…。割とぶっつけで描いた割には上手くまとまりました（こら）

P060｜2003 「キャラクターデザインバイブル」
vol.1

ゲームが大好きなので、8BITライクな思い出を詰めたりしてみました。なんなんですかね、このたま○っちみたいなドットキャラ…

P061｜2003 「キャラクターデザインバイブル」
vol.2

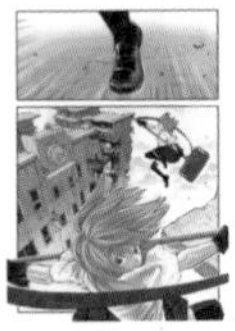

これを描いた当時、学校という物に対して何か破壊的な衝動が僕の中にあったんでしょうか。でもニーハイソックスは外さない。

P062｜2004 「キャラクターデザインバイブル」
vol.3

確かこの鬼がこの女性に惚れている、って設定で描いてた気がします。当時は知らなかったんで意識はしてなかった筈なんですがヘルボーイっぽいなぁ…

P063｜2004 「キャラクターデザインバイブル」
vol.4

格闘ゲームに出てくるジョークキャラみたいなのが描きたくて描いたキャラ。いい加減ですよねすいません!

P065｜2006 「幕末機関説いろはにほへと」
キービジュアル

「幕末機関説いろはにほへと」の、キャラクターが決まってから最初にちゃんと描いたキービジュアルです。花札っぽくなりすぎたので、空の下のほうに青を重ねました。シンプルながら気に入っております。

P066｜2007 「幕末機関説いろはにほへと」
DVD第1巻ジャケット/第2巻ジャケット

右/第1巻DVDジャケット。仕草の途中を切り抜いて、動きの色気を意識して描きました。
左/第2巻、赫乃丈の舞台衣装姿。エロすぎたか。それと和服は本当に難しいです。アニメーターさんは凄い。

P067｜2007 「幕末機関説いろはにほへと」
DVD第3巻ジャケット/第4巻ジャケット

右/第3巻は茨城蒼鉄。どうしても筆を持たせたかったので多少無理しても入れました。
左/第4巻、神無左京之介。銃を抜く瞬間ですね。鏡の前で何度も動作確認して描きました。

P068｜2007 「幕末機関説いろはにほへと」DVD第5巻/第6巻/第7巻ジャケット

右/第5巻は中居屋重衛兵。太巻きのオッサンと骸骨がジャケットとは…営業の方、すみませんでした。大満足です。だいたいのデザインが決まるまで、この方が史実の人物だったと知らなかったのは本当に内緒にしておいてください。
中/第6巻は新撰組の土方さんです。史実の方なのでデザインもジャケットも気を使いました…
左/第7巻は再び茨城蒼鉄で、今度は洋装姿。刀のデザインも気に入っています。当時には無さそうな洋服のラインなど、現代を意識した作りにしました。

P069｜2007 「幕末機関説いろはにほへと」
DVD第8巻ジャケット

第8巻、赫之丈の舞台衣装その２。甲冑を極力体にフィットさせる様に心がけました。このキャラクターに限らず、アニメの場合は線を減らすという思考が常に付きまとうので、その辺のバランスが難しいです。

P069｜2007 「幕末機関説いろはにほへと」
DVD第9巻ジャケット

最終巻は耀次郎と赫之丈です。この作品から、和紙をテクスチャで重ねる事が多くなりました。

P070｜2006 「幕末機関説いろはにほへと」
番組アイキャッチ

CMに入る時にカットインする例のやつです。テレビ栄えする描き方というのはとんと分らないので、色味に苦戦しました。赫之丈は放送時よりかなり大きく描いていました。お尻と腿がエッチ。

P071｜2006 「幕末機関説いろはにほへと」
サウンドトラックジャケット

サウンドトラックジャケット用イラスト。いろはは音楽も素晴らしかったです。傘を上手く使えたかな、と。

P072｜2006 「幕末機関説いろはにほへと」
プレゼント版画

プレゼント版画用。衣服を桜に散らせて行く効果がなかなか難しかったです。色は本当に和の色を重視。

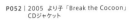

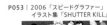

P079 | 2005 アカツキ.「DEVIL SOUND FRISBEE」
CDジャケット

コミカルでロックでダークでピエロで黄金二挺拳銃でフリルで眼帯で!!

P078 | 2005 「ガンダムエース」寄稿

サンライズのスタジオで仕事をしてた時に頂いたお仕事。ギャラも通常の3倍かと思ったら流石にそれはありませんでした。

P076-077 | 2001 GIFアニメ「マッチ売りの少女」

これを作った頃はまだWEBでは動画コンテンツが少なかったので、珍しいのか随分たくさんの方に観て頂けました。「幕末機関説いろはにほへと」のデザインの仕事も、元を辿るとこのアニメから繋がって来たものだったりします。

P073 | 2007 「幕末機関説いろはにほへと」
「月刊Newtype」寄稿

「月刊Newtype」2007年1月号のカレンダー用に描き下ろした絵。ウグイスかわいいですね。

P083 | 2007,2008 「まんたんブロード」

右／祖父が死んだ事により、悪政を施す両親に戦いを挑む娘、といった感じ。中二病全開です!
左／実の両親との闘いに打ち勝ち、少女は若くしてマフィアのドンとして君臨する事になりましたとさ…!

P082 | 2007 「まんたんブロード」

右／とあるマフィアの娘という設定で描き始めたイラストストーリー。衣装はちょっと考え込みすぎて失敗した感が…。
左／丁度おばあちゃんの一周忌だったので、夏でしたが死をテーマにした感じです。

P081 | 2008 「KYMG」表紙カバー

初画集表紙なので、僕が考えている物、好きなものが分かりやすいように色々と好きなものを詰め込みました。真鍮って鉄よりも好きなんですよねなんか。レトロ感ですかね?

P079 | 2003「季刊エス」

いわゆる「ありそう」ネタ。マーグマーヤの財宝ってなんだ!知りたいぞマーグマーヤ!いい加減すぎです。

P088 | 2000 HP用イラスト「マフィア」

「集団」的な物に惹かれていた頃に描いたものです。こういうのって、キャラ同士の人間関係を想像させたりするんで観てて楽しいですよね。

P087 | 2000 HP用イラスト「ヘッドフォン少女」/
2000 HP用イラスト「尻尾少女」

右/HPを立ち上げた頃、ちょっと付き合いのあった方に描いた絵。頑張って描いてますね。あの頃は暇だけがポケットにいっぱいでした。
左/HPを立ち上げた結構最初の頃に描いた絵だったと思います。妄想小僧でしたね。ああいやらしい!(治ってない)

P086 | 2000 HP用イラスト「パンチ」

主線無しで描いた珍しい絵です。HPを立ち上げて半年目くらいに描いた絵だったでしょうか…今でも観れる数少ない絵の一つ。下描きはせずにPainterで直描き。

P084 | 2006 「ガイナックスHP」
TOPページ

GAINAXのHPのトップページに寄稿した絵。普段版権物を描かないので、ちゃんと綾波レイを描いたのは多分初めて。髪の毛はアドリブで何となく意味も無く伸ばしました。ロンギヌスを股に挟んだ段階で、俺の勝ちでした(何が)。

P087 | 2001 HP用イラスト「刺青メガネ」/ 2000 HP用イラスト「鼻血ガール」

右/デザイン的な描き方にも挑戦したくなって描いてみた絵です。実際にこの絵の刺青を入れたファンの方がいらっしゃってビックリ。
左/HPで企画を立ててコンテンツを作ろうと思い、鼻血ガールズという鼻血を出した女の子の絵を集めるという素晴らしい、今思えば傲慢企画です。付き合ってくださった絵描き様には感謝の念に絶えません。

P090 | 2001 HP用イラスト「三銃士」

何でも良いから女の子を描きたい時期で、三銃士好きだったんで描いた絵。資料を良く見て描いてた記憶がありますね。

P089 | 2001 HP用イラスト「女帝」

HPが50万アクセスした時に描いた絵。偽和物って感じです。

P096 | 2000 HP用イラスト その他

HP用に描いた絵などです。基本的に「描きたい物」この頃から何も変わってませんね…。

P094-095 | 2003 HP用イラスト「サムライ一団」

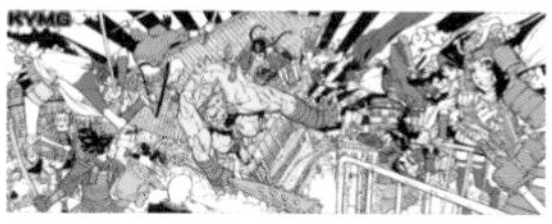

HPの100万アクセスの記念に描いた絵。この頃は新旧時代を入り乱すのが好きだった様です。

P093 | 2003 HP用イラスト「ヒーロー女子高生」/
2002 HP用イラスト「南瓜姫の冒険」

右/変身ヒーローで女子高生、っていうハンバーグと牛丼を一緒に食べるような組み合わせで。
左/かぼちゃパンツを描いてたら歯止めが利かなくなった例。右下の辺りで力尽きたみたいですね。

P092 | 2002 HP用イラスト「タブレットちゃん」/
2001 HP用イラスト「忍者少女」

右/下書きはシャープペンシル、フォトショップで着彩。悪ふざけが過ぎたようです
左/忍者的なものでストリートな物を描きたくて描いた絵。でも忍者刀と言えば直刀なので、そこが残念。下描きはせずにPainterで直描き。

P100-101 | 2008 「KYMG」描き下ろし

描き下ろしでギャングスターな感じで!こういう感じが今は一番好きかもです。

P099 | 1999～2002 作品

右から"スパイラル"(パチスロパニック7・読切)、"蛙は撮り続けた"(YM月間賞・奨励賞)、"魔法のゲーム攻略本"(三才ブックス)

P098 | 1999～2002 作品

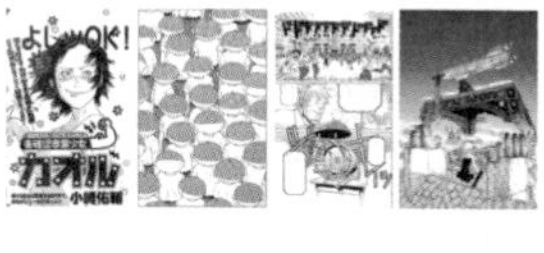

右から"HAINE"(ちばてつや賞・準優秀新人賞)"コンドウクン"(未発表作)、"左同"、"未確認非業少女カオル"(別冊YM・デビュー読切)

P097 | 2002 HP用イラスト その他

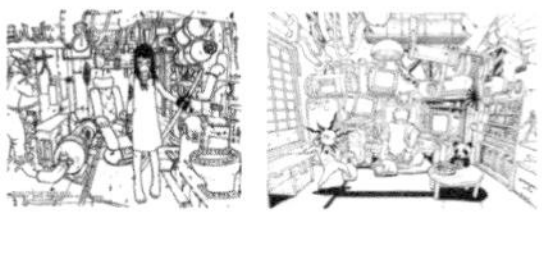

右/この本をデザインして下さった、Maniackers Design佐藤さんのFONTのコラボレーションで描かせて頂いた絵。感慨深いです!
左/暇だった時にWEB用に描いた絵。まだ４℃作品や田中達之さん的な裏路地・スチームパンクに傾倒しまくってた頃ですね…。

P106 | 2007 「NO MORE HEROES」ナオミ

ビーム・カタナの製作者、ナオミ博士。年齢不明だけど還暦をとっくに越えてるとか。セクシー系のモデル女が適当な感じにしゃがむとかっこいい。

P105 | 2007 「NO MORE HEROES」シルヴィア

右/シルヴィアのフィニッシュイラスト。他のキャラとバランスをあわせる為に立ちポーズに変更。ちょっと日本人好みの顔になってしまったのが反省。
左/シルヴィア・クリステルという全米殺し屋協会のエージェント(という設定)のキャラ。最初に描いたフィニッシュイラストです。デザインに関しては、アメリカというよりは少しヨーロッパ寄りで遊び心のあるエロを目指しました。素足って良いですよね。最近素足好きです。

P104 | 2007 「NO MORE HEROES」トラビス

正式に決まったトラビスのフィニッシュイラスト。かなりパースが効いてますね。

P108 | 2007 「NO MORE HEROES」
殺し屋 デスメタル / 刺青

最初のステージボス。最初のステージなのにこの風格（笑）とにかく影を縦に落として重厚感を。刺青も描きました。

P107 | 2007 「NO MORE HEROES」
作中画 背景 / ジーンアップ

右／ゲームの作品の中で使われた素材です。北米版では内臓が飛び出したり足が折れてたりと国内ではなかなかお見せできないバージョンが存在します。
左／こちらもゲームの作品の中で使われた、ジーンという女の子のキャラの素材です。

P106 | 2007 「NO MORE HEROES」殺し屋 サンダー龍 / 殺し屋 ロビィ・コフ

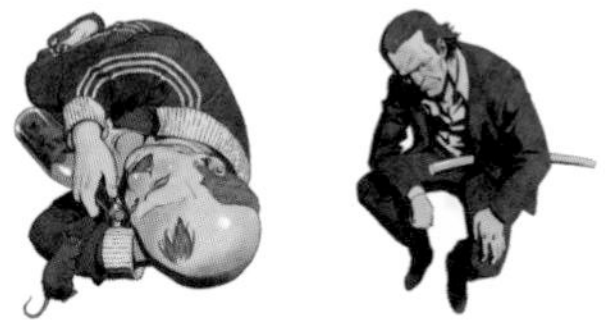

右/元はディレクターの過去作品からのキャラですが、特に気にせず自由にやらせて頂いた記憶があります。かなり渋めのデザインとなっております。
左/この構図は真っ先に浮かびました。のんだくれなのでこれしかないと。

P110 | 2007 「NO MORE HEROES」殺し屋 ホリー･サマーズ / 殺し屋 レッツシェイク / 殺し屋 ハーヴェイ

右/義足の穴掘り傭兵ホリー・サマーズ。結構意欲的に他にあまり無いポージングを決めたと思います。カメラはあおりで、きゃしゃだけども重量感を出せるようにしました。
中/地震使いの殺し屋。イギリスのパンクロックのファッションを少々かじってからデザイン。やはりメカデザイナーさんが優秀…！
左/マジシャンですね。デイビット・カッパー・フィールドみたいなイメージをもっと奇抜にした感じです。マジシャンって多分袖まくってると思うんですが、そこは派手さを優先させたという感じです。

P109 | 2007 「NO MORE HEROES」殺し屋 ドクターピース / 殺し屋 シノブ / 殺し屋 デストロイマン

右/悪徳刑事なのにドクター、しかもピース！そしてもろブロンソン。スーツの形状は60年代くらいの昔の物を参考にしているので、後は細部のデザインで奇抜さを出しています。
中/とても気に入ってるキャラクター。黒人女子高生でアフロで白髪の侍とかB級も良いところです。
左/SFX＆アメコミヒーローオタクの殺し屋。もう設定から最高。メカデザイナーの方との最高のコラボレーションでした。

P112 | 2007 「NO MORE HEROES」殺し屋スター / 殺し屋ジーン / 殺し屋ヘンリー

右/スーツに甲冑って面白いかもと思い作ったデザイン。メカデザインの方から、海外で買って来たダークスターと言う同じ名前のスケボーブランドのステッカーを頂いたのですが、なんと偶然それにも甲冑の絵が！
中/「殺人空手の使い手」という素晴らしい設定を元に、ディレクターの好みと僕の好みをふんだんに盛り込んでみました。
左/主人公のライバルに当たるキャラクター、ヘンリー。「いけ好かないイギリスヤロー」って所です。ワザとらしい位ストンと縦に細いキャラは好きです。

P111 | 2007 「NO MORE HEROES」殺し屋 スピードバスター / 殺し屋 バッドガール

右/太ったオバさんの殺し屋ってのもサイコで怖い感じ。今までなかなか無かったタイプ…？気に入っています。
左/バットで撲殺するロリータファッションの金髪美女、サイコーです。これもお気に入りのキャラクターです。一応ウェイトレスの格好っていうイメージだったんですが、ウェイトレスの服ってロリータなんですかね？

P113 | 2007 「NO MORE HEROES」
作中画 昔の写真 / 絵画

それぞれゲームの作品の中で使われた素材です。

協力
アカツキ.
株式会社アスキー・メディアワークス
株式会社アマゾン
エスイー株式会社
株式会社ガイナックス
株式会社角川書店
季刊エス編集部
株式会社グラフィック社
株式会社講談社
株式会社三才ブックス
株式会社サンライズ
株式会社毎日新聞社
株式会社マーベラスエンターテイメント
株式会社EMIミュージック・ジャパン
株式会社GDH
HONDALADY
（敬称略）

画集『KYMG』

あとがきマンガ

コザキユースケ

どもコザキです。
顔はどー描いていいのか分からんのでハコにしておきました.
初めましての方は初めまして。
この度は
こんな本を手に取って下さってありがとうございます。
初のフル画集とゆー事もあり担当さんからの注文でこのあとがきマンガを
おー…あとがきマンガですか…
ぜひ
描く事になったのですが…

僕はこの"あとがき"と言う類の物が大の苦手なのです
うえええ
えええ…
マンガ誌の作者近況も毎回なやむ…
描く事無いよォオオオオ
何にしろほぼ家にこもり他にする事と言えば映画を観るかペットと遊ぶかのみなので…
え～～と
話題
話題
話題
こっこざきさんまだですか!!
ピョ
本が出せないですよこのままじゃ……!!!
がんばってみます。

思えばデビューしてから今年で9年になります
(2008年現在)
20代は光のごとく過ぎ
この本が出た時丁度30才です。
もう良い加減"新人"と言う言い訳はできないです。
何より今だにスケジュールの管理がド下手で、期限内に仕事をアップする事が困難とゆー体たらく
一つの事が終わらないと次に気持が切り変わらないタイプで…
ああああ
やっぱダメだ!!!
これじゃ只の言い訳マンがじゃないか!!
…そうだ、作家のプライベートなら皆知りたがってるかも
いいぞ
僕だって逆ならそう思うもんね
初公開コザキの日
仕事
犬とあそぶ
ワン
ワン
高校の頃バイトしてたラーメン屋で食事
ズズ
ズズズ…
高校の頃バイトしてたコンビニで買い物
1500円になりまーす
1500
ブッ

ありがとうございました。